KB182800

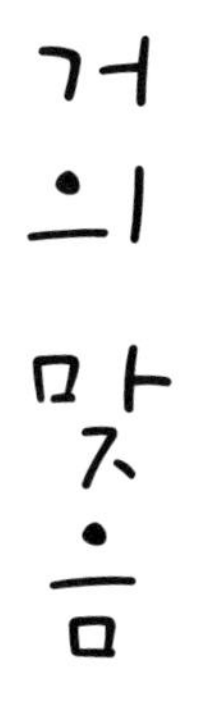
거의 맞음

이 도서의 국립중앙도서관 출판시도서목록(CIP)은 e-CIP홈페이지(http://www.nl.go.kr/ecip)와
국가자료공동목록시스템(http://www.nl.go.kr/ kolisnet)에서 이용하실 수 있습니다.
(CIP제어번호:CIP2013012771)

거의 맞음

Toilettenbürstenbenutzungsanweisung
fast richtig

변소영

장편소설

실천문학사

차 례

글뤽 아우프!

기혼은 빵으로 아침을 때운다. 사십 년 가까이 독일에 살았지만 아침에 빵을 먹어도 '때운다'라는 동사가 입에서 먼저 튀어나온다. 출근한다. 살림을 사는 아래층에서 사무실로 꾸민 위층으로 올라가는 거다. 메일을 연다. 안녕하십니까? 딜 코리아의 강남형입니다. 다름이 아니라, 이엘케이—01 시리즈의 매뉴얼이 필요합니다. 어디서 구할 수 있을까요?

기혼은 딜 코리아의 본사인 딜 저먼에 전화를 건다. 담당자의 휴가 다녀온 이야기를 참을성 있게 들어준 다음 슬며시 용건을 꺼낸다. 담당자가 정보를 준다. 기혼은 딜 코리아에 짧게 답장한다. 안녕하세요, 한독무역 김기혼입니다. 딜 저먼의 웹사이트에 들어가 영문 매뉴얼을 다운 받으시면 된다고 합니다.

답장을 보내자마자 메일이 온다. 빠른 대응에 감사드립니다. 혹시 단시간 내에 영문 매뉴얼의 번역이 가능하신지요? 그 또한 즉시 답신한다. 지금 몹시 바빠 번역을 하더라도 몇 주 후에나 가능할 것 같습니다. 죄송합니다. 귀사의 번창을 빌며…….

예전에는 실낱같은 연줄이라도 잡으려고 네, 가능한 빨리 번역해서 보내드리겠습니다, 라고 말한 다음 몇 날 며칠 사전을 잡고 끙끙거리며 번역을 해서 보냈지만 사업을 시작한 지 십 년이 넘은 지금은 어림도 없다. 이런 유의 회사는 번거로운 일만 시킨 다음 뒤도 돌아보지 않는다.

"한남공업의 박진감입니다. 어제 문의한 제품 가격을 빨리 알려주세요."

"유로로 구매하실 건가요, 아니면 원화로 구매하실 건가요?"

"무슨 차이가 있습니까?"

"유로로 구매하시면 조금 저렴하지만 수입 절차가 번거로우시고, 원화로 구매하시면 저희가 알아서 통관을 시키고 문 앞까지 배달해드리는 대신 수수료가 조금 붙습니다."

"구매 팀에다 원화 구입의 가능성을 타진해본 다음 연락드리겠습니다."

"네, 알겠습니다. 수고하세요."

요즘은 대부분의 문의가 오더로 연결되지 않는다. 오더가 오더라도 전화비도 못 건지는 게 다반사다. 글로벌 시대인 만큼 오퍼상을 거치지 않고 인터넷으로 직접 거래하는 회사가 많아진 까닭이다.

며칠 전만 해도 한국의 어떤 회사에서 백 가지가 넘는 자잘한 기계 부품들에 대한 문의서를 보내왔다. 그는 이틀에 걸쳐 일을 진행시킨 다음 어제 최종 오퍼를 보냈다. 하지만 지금껏 아무런 소식이 없다. 기혼은 그 회사에 전화를 넣는다.

"아, 그 건요? 오더가 벌써 다른 회사로 나갔습니다."

늘 그랬듯 담당자가 미안한 기색도 없이 말한다.

"네, 그렇군요. 잘 알겠습니다. 그럼, 안녕히 계십시오."

기혼은 아무렇지 않은 듯 대답한다. 따져봤자 저항의 종착지는 다름 아닌, 회사들의 등 돌림이다. 하지만 분한 마음은 어쩔 수 없어 얼굴이 붉으락푸르락해진다. 이런 식으로 한두 번 당한 게 아니었는데 이번에도 말려들었다. 무턱대고 일부터 시작한 게 잘못이었다. 옆에서 그를 도와 경리를 보는 아내 울라가 무슨 일이냐는 표정으로 그를 바라본다.

"뭘 봐? 아, 아무것도 아니야."

괜히 죄 없는 아내에게 따지듯 말하다가 화를 조금 누그러뜨리기 위해 다른 자질구레한 일을 찾아서 한다. 이윤이 많지 않아서 그렇지 할 일은 언제나 많다. 티끌 모아 티끌이고 잔돈 모아 잔돈이지만, 파리똥도 똥이듯 잔돈도 돈이다. 그 잔돈으로 그냥저냥 밥은 먹는다.

전화가 온다. 원화 구입의 가능성을 타진해보고 다시 연락을 준다더니 성사가 되려나 보다, 생각하며 얼른 수화기를 집는다.

"날세, 희돈이. 오랜만이야."

망설이고 망설인 끝에 희돈은 수첩에서 기혼의 전화번호를 찾았다. 전화기 있는 곳으로 천천히 다가가 수화기를 들었다. 번호 하나하나를 마치 꽉 닫힌 철문의 초인종이라도 누르듯 망설이는 손가락을 재촉하여 꾹, 꾹, 눌렀다. 진땀이 다 났다.

"……."

기혼이 당황스러워하는 게 전화선을 통해 희돈에게 그대로 전해진다. 말은 하지 못 하고 기혼은 몇 차례 길게 한숨을 내쉰다.

"내 목소리가 반갑지 않지? 그럴 거라고 생각하면서도 용기를 냈네. 오늘 김형희의 부고를 받았는데, 문득 자네 목소리가 듣고 싶어지더군. 우리와 함께 일한 김형희, 생각나나?"

"……."

"사업은 잘되고?"

"잘되기는…… 항상 복장이 터지지."

"오장육부가 아니라 복장만 터져서 그나마 다행이네, 흐흐."

"나도 부고를 받았어. 그 사람, 캐나다로 건너가 막일을 전전한다더니, 이제 먼 길을 떠났네, 그래……."

"그러게 말일세. 한국에서 대표로 남동생이 날아가 장례식에 참석했다는군."

기혼의 아들, 상현이 사고를 당해 죽은 이후 소식을 완전히 끊어버렸듯 이번에도 딸깍, 소리를 내며 전화를 끊어버리면 어쩌나, 걱정했던 것과는 달리 어색하게나마 대화가 이어진다. 휴우, 희돈은 가슴을 쓸어내린다. 사실 누구의 잘못도 아니었다. 희돈의 딸 진이와 상현이 사랑을 했고, 운이 없어 사고가 난 것이었다.

"뭐가 그리 바쁜지 전화도 한번 못하고 지냈네 그래. 용서허이. 바쁘게 살기에는 이제 시간이 별로 없는데, 왜 이러는지 원. 그래서 그냥 전화했네. 아니, 사실은, 벼르고 벼르다가 전화한 거라네."

다시 희돈이 말한다. 기혼은 그의 고향 친구이자 어두운 갱에서 눈물 콧물을 짜며 함께 탄을 캐던 동료였다. 기혼은 형이 빚을 내어 건네준 돈으로, 희돈은 소를 판 돈으로 브로커를 사서 독일에 왔다. 당시 해외개발공사에서 낸 파독 광부 모집 공고에 많은 사람이 몰려들어 브로커를 사지 않으면 독일에 올 수가 없었다. 당시 강원도 태백과 장성에 파독 광부로 선발되기 위한 단기 광부 훈련소까지 생겨날 정도였다. 광부 훈련을 받는 곳이라기보다는 적당히 시간을 때우는 곳이라는 말이 적합했지만 말이다.

"그러게. 이렇게 바쁘게 살다간 자네나 나나 제 명에 못 죽을 텐데 말이지. 명대로 살자면 우리, 백오십 살까지 살 사람들 아닌가?"

"그럼, 땅속에서 탄가루 마시며 일할 때도 멀쩡했으니까, 이렇게 환한 곳에서 맑은 공기 마시고 살면 백오십 살까지 살고도 남지. 백사십 살 이후부터는 제발 바쁘지 않기를 바랄 뿐이야, 흐흐."

"소문을 들었는데, 증손녀를 보았다며? 예쁜가?"

"우리 미이, 아주 예쁘지. 눈을 마주치면 생글생글 웃는 게 여간 예쁜 게 아니야."

"김치 장사는 잘되고?"

"그거야 뭐, 노느니 용돈이나 벌려고 하는 거지. 울라는? 아프다는 소식을 들었는데 찾아가보지도 못 하고……."

"이제 멀쩡해."

"다행이야. 안부 전해줘."

"응……."

"글뤽 아우프!"

"글뤽 아우프!"

글뤽 아우프! 위로 올라오는 행운을! 지하로 내려갈 때 그리고 지상으로 올라왔을 때, 혹은 거리에서 마주칠 때마다 광부들은 서로의 안전을 기원하며 글뤽 아우프! 인사를 주고받았다.

전화를 끊고 나자 기혼은 만감이 교차한다. 분명한 것은, 마음이라는 지층의 변화다. 마음의 글뤽 아우프! 이제 누군가 손을 내밀면 뿌리치지 못하는 나이가 되었나 보다.

"희돈?"

울라가 눈을 둥그렇게 뜨고 기혼의 표정을 살핀다. 여전히 커다랗고 파란 눈이다. 하지만 나이는 어쩔 수 없어 눈꺼풀이 처지고 다크서클까지 생겼다.

"그이가 어쩐 일로……?"

그녀가 다시 묻는다. 위암에 걸려 방사능 치료와 항암 치료를 받았는데, 삼 년째 재발하지 않았고, 이제 제법 머리가 길었다. 성격상 표현은 않지만 기혼은 꿋꿋하게 잘 버텨준 아내가 고맙다. 그녀와 결혼한 덕분에 다른 광부들처럼 체류 문제로 골머리를 앓지 않았고, 또 독일어도 비교적 능숙하게 구사하게 되어 그것 또한 고맙다.

"그냥…… 당신에게도 안부 전하라고……."

그녀가 아무 말 없이 고개를 끄덕인다. 그녀 또한 마음이라는 이름의 막장에서 힘든 노동을 마치고 막 지상으로 올라온 듯 휴우, 길게 숨을 내쉰다. 그 숨소리에 캄캄한 막장의 석탄가루가 묻어날 듯하다.

*

얀은 R 프로덕션의 편집자다. R 프로덕션은 〈그리움의 현주소〉라는 프로그램을 만들어 방송국에 판다. 오래전에 소식이 끊긴 아버지와 엄마, 형과 동생, 누나와 친구 등을 찾아주는 프로그램이다.

R 프로덕션의 프로듀서 다니엘이 이번에도 〈그리움의 현주소〉 촬영분 스무 개에 대한 오케이와 경비를 방송국으로부터 받아냈다. 직원 월급과 비행기 삯, 식사비와 호텔비, 아웃소싱 하는 카메라맨과 음향기술자와 분장사의 수고료가 그 경비에서 지출된다. 경비가 모자라 사장인 베티가 개인적으로 충당한 적도 있다.

프로덕션이나 방송국 일에 관한 한 확실하고 고정적인 것은 없다. 얀의 일자리 또한 그렇다. 삼사 개월마다, 길면 육 개월마다 재계약을 한다. 칠 년째 일하며 그가 사인한 계약서만 스물일곱 개다. 바지런히 뛰지 않으면 재계약이 되지 않는다. 사장과 프로듀서, 두 사람만 정규직이다.

"어젯밤 늦게 마틴이 전화했어. 오늘 인터뷰 촬영에 못 나온다고 말이야. 엄마를 찾고 싶어 하는 사람이 시큰둥하게 군단 말이야. 저번에도 펑크를 내 사람 황당하게 만들더니…… 오전에 전화한다고 해놓고 밤늦게 전화해 겨우 들었던 잠이 확 달아나버렸어, 에효."

먼저 출근해 커피를 마시던 동료 편집자 마티아스가 말한다.

"새벽에 겨우 다시 잠이 드는 바람에 샤워를 하는 둥 마는 둥, 허겁지겁 뛰어왔어. 아이, 아침부터 몸에서 땀 냄새가 나는 것 같아서 찝찝해. 머리카락에 젤을 골고루 발랐어야 하는데 서두르는 바람에 왼쪽에만 잔뜩 묻혔네, 에효."

마티아스가 커피를 두 잔째 홀짝이며 계속 투덜거린다. 창문에 비친 제 모습을 바라보며 손으로 머리를 만지작거린다. 신화 속의 나르시스처럼 자신의 모습을 탐닉하기 좋아하는 그는 게이다. 연못 물을 찰랑이는 바람기가 늘 붙어 다닌다.

그들은 오전 아홉시 삼십분에 출근하고 오후 여섯시에 퇴근한다. 하지만 일이 많을 때에는 출퇴근 시간이 따로 없다. 퇴근해서도 이십사 시간 휴대폰을 켜놓고 대기 상태로 있어야 한다. 토요일과 일요일에 일하는 경우도 많다. 직원 모두 모든 건의 진행 상태를 파악하고 있어야 한다.

"본인이 시큰둥하게 굴면 열심히 찾아주고 싶지 않지. 우리는 직장인이기 이전에 감정을 가진 사람이니까."

얀이 마티아스를 바라보며 대꾸한다.

"내 말이 그 말이야. 잃어버린 사람을 그리워하며 눈물을 흘리고, 꼭 찾아달라고 매달려야 우리의 마음도 따라가지."

"뭐, 할 수 없지. 그 건은 좀 미뤘다가 나중에 하자. 우선 다른 건부터 시작하자고."

"오케이."

얀은 커피를 들고 사장실로 간다. 구텐 모르겐, 인사한다. 별로 하는 일 없이 예스, 노 정도의 커다란 결정만 하는 베티가 구텐 모르겐, 인사를 받는다. 그녀는 구성작가가 써준 텍스트를 외워서 그대로 말하는 〈그리움의 현주소〉의 사회자이기도 하다. 베티는 패션에 관심이 많아 열심히 쇼핑을 한다. 언제나 비싸고 좋은 상품을 산다. 하지만 센스가 모자라 수더분한 아줌마처럼 보인다. 나름 프로그램의 이미지에 맞는 데다 스스로 만족하는 눈치라 따로 충고를 해주지 않는다.

그녀는 성격도 생긴 그대로다. 털털하고 정이 많다. 모든 사람과 좋은 관계를 갖는다. 구성작가가 써준 대본을 잘 외우지 못해 촬영할 때 가끔 스태프를 지치게 하지만 말이다. 그녀는 누군가를 찾는 사람의 사연을 들어주는 장면과 찾는 사람과 잃어버린 사람이 만나는 장면을 찍을 때 매번 눈물을 글썽이며 코를 훌쩍인다. 한두 번 찍는 게 아닌데 말이다. 그런 성정 덕분에 시청률이 그동안 많이 올랐다.

얀은 남의 공감을 끌어내는 베티의 역할에 대해 가끔 생각한다. 그럴 때면 이미 방송으로 나간 프로그램을 다시 돌려보곤 한다. 얼마 전에는 아버지를 찾는 미하엘의 이야기를 다시 보았다. 베티가 미하엘의 사연을 듣는 장면과 미하엘과 그의 아버지가 만나는 장면을 집중해서 보았다.

처연하면서도 드라마틱한 클래식 음악이 흐르는 가운데 베티와 미하엘이 소파에 앉아 이야기를 나눈다.

"미하엘, 누구를 찾고 있나요?"

"아버지를 찾습니다. 아버지, 제게 커다란 공백으로 남아 있는 부분이죠."

미하엘이 눈물을 닦아내며 코맹맹이 소리로 대답한다.

"부모님은 어떤 인연으로 만났나요? 그리고 아버지와는 왜 헤어지게 되었지요?"

벌써부터 베티의 눈이 빨개진다.

"제 아버지는 미군이었어요. 독일에 이 년간 체류했는데 그때 독일 여인과 사랑에 빠져 결혼했지요. 둘은 미국으로 갔고, 제가 태어났어요. 부모님은 그곳에서 심하게 다투었고, 엄마가 이 개월이 된 저를 데리고 독일로 돌아왔지요."

"어쩌다가 연락이 끊겼나요?"

"아버지의 전화를 받은 엄마의 남자 친구가 이제 미하엘의 아버지는 자신이니까 더 이상 전화하지 말라고 했대요. 이후로 아버지에게서 연락이 없었어요."

"찾으려고 하지 않았나요?"

"여덟 살 때부터 아버지를 찾았어요. 아버지의 군대가 주둔한

곳에 편지를 보냈지요. 하지만 아무런 소식도 받지 못했어요. 다른 주소가 없어서 아버지의 여동생에게 편지를 보냈지만 수신자 불명, 이라고 찍혀서 되돌아왔어요."

"미하엘, 내가 어떻게든 당신 아버지를 찾아볼게요. 진정으로 도와주고 싶어요."

눈이 빨개진 베티가 미하엘을 안고 등을 토닥거린다. 그도 베티를 안는다.

베티는 미하엘의 고모가 이백 달러를 동봉해 보낸 편지 하나를 단서로 그의 아버지를 찾으러 미국으로 날아간다.

베티는 미국 R도시의 중앙우체국에서 미하엘 고모의 옛 주소를 찾아본다. 실패한다. 한 가지 알아낸 것은, 고모가 그곳의 외곽에 있는 대학에 다녔다는 사실이다. 고모의 흔적을 찾기 위해 베티가 씩씩하게 운전한다. 그녀가 씩씩하게 운전하는 모습을 찍기 위해 카메라맨과 음향기술자와 분장사와 촬영감독 등 모든 스태프가 너무나 분주하다. 화면에 나오지 않을 뿐이다.

이곳저곳을 거치고, 이런저런 사람을 만난 끝에 베티는 고모의 칠 년 전 주소를 얻는다.

며칠 후에 스태프는 미하엘을 I도시로 부른다. 사람을 찾으면 주인공을 그 나라로 부른 다음 상봉하게 해주고, 일주일간 그곳에 머물게 해준다. 비행기 삯과 일주일간의 체류 경비는 예산에서 지출된다. 아버지를 찾았는지 못 찾았는지 주인공만 모르고 있다.

베티와 미하엘이 조용한 거실에 앉아 모니터를 바라본다. 미하엘의 아버지를 찾는 I도시에서의 여정이 모니터에 담겨 있다.

잠깐 들어가도 될까요? 절대 나쁜 일이 아니에요, 모니터 속에서 베티가 말한다. 오케이, 고모 캐린이 경계의 눈빛을 풀지 않으며 대답한다. 둘은 소파에 앉는다. 이야기를 나눈다. 미하엘이 눈을 깜빡거리며 주시한다.

"당신의 오빠, 톰을 만나고 싶어서 왔습니다. 그는 잘 지내고 있나요?"

"네, 그럼요."

"독일에 톰의 아들, 미하엘이 살고 있다는 걸 당신은 알고 있나요?"

"물론이지요. 우린 항상 그 아이에 대한 이야기를 하지요. 올해는 그 아이가 스무 살이 되는 해예요. 더욱 특별한 해지요."

"톰의 아버지는 미하엘을 사랑하나요?"

"그는 항상 아들을 사랑했고, 지금도 변함없이 사랑하고 있어요."

캐린이 울먹이며 말한다. 그 모습을 바라보며 미하엘이 두 손으로 얼굴을 감싼다. 손가락 사이로 눈물이 흘러내린다. 베티가 두 팔을 벌려 그를 껴안는다. 그도 그녀를 껴안는다. 둘은 껴안은 채 왼쪽으로, 또 오른쪽으로 서로의 몸을 움직인다. 코맹맹이 소리로 미하엘이 당케, 베티에게 속삭인다. 니히트 쭈 당켄, 고맙기는 무슨, 그녀 또한 자그맣게 대꾸하며 그의 등을 토닥인다.

모니터에 베티가 톰을 만나는 장면이 나온다. 톰은 털털한 차림으로 차를 고치고 있다.

"하이, 저는 베티라고 해요."

"네, 무슨 일이신가요?"

"저는 독일에서 왔어요. 한때 독일에 계셨죠?"

"네, 이 년 동안 있었어요."

거기까지 바라보며 미하엘이 웃는다. 아, 이럴 수가. 믿을 수 없어, 작은 탄성을 내지른다. 화면 속에서 톰과 베티가 톰의 집으로 들어간다.

"톰, 당신의 아들 미하엘이 당신을 보고 싶어합니다. 그래서 이렇게 왔어요."

"리얼리? 와우. 이십 년 동안 아들을 보지 못했어요. 이십 년 동안 그리워했지요. 항상 가슴이 아팠어요."

"당신의 전 부인이 독일로 떠나던 때를 기억하나요?"

"네, 그날 제가 아들을 안게 해달라고 부탁했어요. 아들을 가슴에 안고 한참 동안 아들의 심장이 뛰는 걸 느꼈지요. 다시 그녀에게 아들을 돌려주는데 하염없이 눈물이 나왔어요. 그녀는 독일로 그렇게 가버렸어요."

"아들이 지금 당신의 집으로 온다면?"

"그는 '우리 집'이라는 왕국의 열쇠를 가진 왕자님이에요. 문을 열고 들어오기만 하면 되지요. 절대적인 환영이에요."

모니터를 바라보며 미하엘이 하염없이 운다. 미하엘을 바라보며 베티 또한 계속 눈물을 흘린다.

잠시 후 미하엘의 손을 잡은 베티가 뜨거운 태양 아래 서 있는

톰 가까이 다가간다. 베티가 손을 놓자 미하엘이 아버지를 향해 첫걸음을 뗀다. 오십 미터쯤 떨어진 이십 년 동안의 거리가 조금씩 좁혀진다.

얀은 베티의 방을 거쳐 프로듀서인 다니엘의 방에 들어간다. 구텐 모르겐. 다니엘은 이런저런 계획을 짜느라 바쁜지 컴퓨터에 머리를 파묻은 채 손만 위로 뻗어 아는 체를 한다. 머리가 많이 빠져 정수리 부분이 휑하다. 그는 편집자인 마티아스와 연인 사이다.

쾰른은 예전부터 매스미디어의 도시였다. 감성이 풍부하고 창의적이고 감각적이어야 그쪽 관련의 일을 할 수 있어서인지 쾰른에는 게이가 많이 살고 있다. 아니, 많이 살고 있는 것처럼 보인다. 제2차 세계대전 이후의 폐허 위에 새로움과 자유로움, 다양성과 개방성 등의 이미지로 거듭난 도시이기에 게이인 것을 굳이 숨길 필요가 없어 그렇게 보인다. 쾰른에는 아닌 게 아니라 게이를 위한 행사가 많다. 그들을 위한 바와 카페 또한 많다. 그곳에는 다양성의 상징인 무지개 빛깔의 깃발이 꽂혀 있거나 그려져 있다.

R 프로덕션의 직원 열두 명 중에서 일곱 명이 커밍아웃을 한 게이다. 얀은 결혼했고, 딸을 둘 두었고, 아직 아무에게도 커밍아웃을 하지 않았지만 게이다. 이른바 '숨어 있는 게이'다. 얀은 다니엘과 마티아스 커플 그리고 다른 게이 동료의 개방성이 부럽다. 그들의 관계를 이해해주는 부모 또한 부럽다. 얼마 전에 다니엘의 생일에 초대받아 갔는데 그의 아버지가 낄낄거리며 말했다. 아들

을 잃어버리느니 남자 며느리라도 챙기는 게 낫지요.

얀은 털썩 자신의 자리에 앉는다. 심란한 마음을 떨쳐버리듯 우선 메일부터 검토한다. 리, 라는 성이 눈에 들어온다. 대한민국, 광부, 아버지라는 단어에 그의 눈길이 계속 머문다.

존경하는 〈그리움의 현주소〉 팀에게

제 이름은 줄리아나 리입니다. 아버지 영준 리를 찾고 있습니다. 아버지는 1947년 5월 11일에 대한민국 광주에서 태어났습니다. 그는 1972년에 독일에 광부로 갔고, 1973년에 엄마를 사귀었습니다. 사귄 지 얼마 되지 않아 엄마는 임신을 했고, 엄마의 배가 불러올 때쯤 아버지는 사라졌습니다. 저는 1974년에 태어났습니다.

유감스럽게도 아버지에 대한 더 이상의 정보는 없습니다. 이 정보마저 엄마에게 들은 것입니다. 아버지의 마지막 거주지는 E도시라고 합니다. E도시의 전화번호부에서 리라는 성을 찾아 제가 무작정 전화를 걸어보았습니다. 하지만 아무런 도움이 되지 않았습니다. 아버지의 기록이 남아 있는 E도시의 관청에 문의를 해보았지만 역시 아무런 단서도 찾지 못했습니다.

아버지를 만나고 싶습니다. 그런데 어떻게 해야 할지 알 수가 없어 이렇게 〈그리움의 현주소〉 팀에게 메일을 씁니다. 아버지를 찾을 수 있도록 도와주세요.

감사합니다. 줄리아나 리로부터.

얀을 포함한 편집자 네 명은 대부분 인터넷에서, 혹은 받은 메일 중에서 프로그램의 소재를 얻는다. 시청자의 흥미를 끌어낼 수 있는 소재, 그게 관건이다. 방송국에서 〈그리움의 현주소〉라는 프로그램을 방송으로 내보내기 육 개월 전에, 그러니까 올해 11월까지 스무 건에 대한 촬영 및 편집을 완벽하게 마쳐놓아야 한다. 지금까지 열두 건을 마쳐놓았다. 6월 말이니까 시간이 그리 많이 남아 있지 않다. 얀은 아까 본 메일을 마티아스에게 보여준다.

"시큰둥한 마틴 건을 빼고 우리, 이걸 집어넣으면 어떨까?"

"아, 그거 괜찮겠는걸? 우리가 한국으로 찍으러 간 게 아직 한 건도 없으니까 말이야. 마틴 건은 거의 진행되지 않았고, 또 하염없이 시간을 끌 수도 없으니까 차라리 바꾸는 게 낫겠어."

쇠뿔도 단김에 빼랬다고, 그들은 편집장에게 의견을 말한다. 편집장이 프로듀서와 사장의 허락을 받아낸다. 소재는 다양하면 다양할수록 좋다. 아버지만 찾으면 안 되고, 언니만 찾으면 안 되고, 브라질에만 가면 안 되고, 피부가 하얀 사람만 찾으면 안 된다. 문의하는 사람은 언제나 많다. 누군가를 그리워하는 사람이 많은 것이다. 만나서 뭐해, 이렇게나마 사는 것도 힘들다고, 내 삶이 조금이라도 바뀌는 게 싫어, 시큰둥하게 말하는 사람은 더욱 많다. 옛 상처를 들여다보기 싫거나 자신의 삶이 아직 바쁘기 때문이다. 얀 자신처럼. 얀은 바로 옆 동네에 부모가 살아도 아주 가끔만 찾아간다.

오케이를 따냈으니 이제 찍으러 나가야 한다. 사람을 찾든 못

찾든 소재가 좋으면 찍으러 나가는 게 원칙이다.

*

자잘한 일을 챙겨서 어쩌다 보니 오후 한시다. 한국은 저녁 여덟시, 오더가 오기는 그른 시간이다. 기혼은 경기가 예전 같지 않음을 다시 한 번 실감한다. 그는 점심을 먹으러 아래층으로 내려간다. 울라가 그사이에 소고기를 쪄서 얇게 썬 다음 그 위에 양송이 소스를 뿌려놓았다. 소고기 옆에 삶은 감자가 모락모락 김을 올리고 있다. 식성에 맞지 않지만 배가 고픈 관계로 기혼은 칼로 고기를 썬다. 그러다 찬장에서 고추장을 가져와 양송이 소스 위에 올린다. 칼칼한 게 당겨서 말이야, 누가 뭐라 하지도 않았는데 혼자 중얼거린다.

울라는 광산촌에 있는 슈퍼에서 일하던 아가씨였다. 예쁘지는 않지만 착하고 성실했다. 어느 날 그는 슈퍼에 닭고기를 사러 갔다. 하지만 닭고기가 독일어로 뭔지 알 수가 없었다. 그는 그녀의 앞에 서서 두 팔꿈치를 올린 다음 닭이 홰를 치는 흉내를 내며 '꼬끼오' 했다. 그녀가 배시시 웃었다. 하지만 고개를 갸웃한 채로 그를 계속 바라만 볼 뿐 닭고기가 있는 곳으로 안내해주지 않았다. 개떡같이 말했지만 찰떡같이 알아듣기를 학수고대하던 그는 몹시 난감했다. 머리를 쥐어짜던 끝에 보디랭귀지는 빼고 달걀 엄마! 어디? 라고 물어보았다. 그제야 그녀가 알아듣고 닭고기가 있는 곳으로 안내해주었다. 독일 닭은 '꼬끼오'가 아니라 '끼끼리끼' 소리를 내며 운다는 걸 그는 나중에야 알았다.

어느 날 기혼은 한국의 아내와 형에게 송금을 하고 남은 월급으로 소시지를 맛있게 구워준다는 곳에 그녀와 함께 외식을 하러 갔다. 뭐든 아끼느라 외식한 적이 없기에 딴에는 크게 마음먹은 일이었다.

"부루스트(Brust) 좀 주세요."

그가 주문하자 울라와 주문을 받는 여자의 얼굴이 빨개졌다.

"브어스트(Wurst) 좀 주세요."

울라가 다시 주문했다. 발음이 안 좋은 까닭에 그가 소시지 좀 주세요, 라고 말한다는 게 젖 좀 주세요, 라고 주문한 것이었다.

기혼은 아내가 보고 싶을 때면 울라를 찾았다. 언젠가 유행한 가사처럼 사람을 사람으로 잊고 싶었다. 그러다 정이 들었고, 울라가 아이를 가졌다. 울라의 집에서는 난리가 났다. 어디에 붙어 있는지도 모르는 나라에서 온 작고 마르고 까무잡잡한 광부를 고소하겠다고 했다. 울라가 울며 부모를 말렸다. 기혼을 사랑한다고 했다. 기혼은 형에게 빌린 돈을 조금밖에 갚지 못한 상태라 독일에서 쫓겨날까 봐 걱정이 되었다.

그는 머리를 쥐어뜯은 끝에 광산 회사와의 계약이 끝날 때까지 한국의 아내와 형에게 송금을 해주기로 약속한 다음 이혼 결정을 내렸다. 울라의 배가 산만 해졌을 때 둘은 결혼했다. 착하고 건강하면 됐지, 예쁘고 착하고 날씬한 한국 간호사와 막 사귀기 시작한 희돈이 위로를 해준답시고 그를 놀렸다.

울라와 아들 둘을 낳고 사는 동안 서먹하던 사이가 조금씩 나아져 기훈은 어느 날 그녀의 부모에게 왜 그렇게까지 자신을 못마땅해 했는지 물었다. 그러자 그들이 대답했다.

"네가 미워서 그랬던 게 아니야. 우리 딸을 두고 네가 한국에 가버릴까 봐 겁이 나서 그랬어. 네가 가버리면 우리 딸이랑 아이는 어떻게 되나 싶어서 말이야. 마음이 상했다면 미안해. 사과할게."

한국의 아내는 남편 몰래, 기훈은 울라 몰래 아주 가끔 전화로 안부를 묻는다. 잘 살고 있다는 소식을 들으면 지하에서 일을 막 마치고 지상에 올라왔을 때처럼 마음이 놓인다. 그렇지 않다는 소식을 들으면 물먹은 솜처럼 하루 종일 몸과 마음이 축축 늘어진다.

기훈은 점심을 먹은 다음 잠시 쉬다가 2층으로 올라간다. 전화가 온다.

"할로, 파파!"

아들이다. 희돈의 전화를 받았을 때처럼 기훈의 마음이 여러 겹으로 구겨진다. 자식 놈 하나 남아 있는 게 영 편하지가 않다. 딩동, 소리를 내며 당도하는 메일처럼 느껴진다. 열어보고, 답장을 보내고, 물건을 수배하고, 진행 과정을 적어 보내고, 별 이윤이 되지도 않는데 가끔 번거로운 심리전을 벌여야 하는 메일.

태어나서 두 달 정도 눈 맞추고 방글방글 웃어주더니 이후로는 잠을 잘 자지 않고 많이 울어서 속을 썩이고, 조금 커서는 시도 때도 없이 아파서 마음 졸이게 하고, 더 커서는 남자 문제로 기훈의 속을 문드러지게 했다. 누가 생각이나 했겠는가. 여자 문제가 아닌 남자 문제로 속을 썩일지. 하지만 지금 아들은 직장을 잡았고, 결혼했고, 딸 둘을 두었다. 이제는 괜찮겠지, 다 지나간 거겠지, 그때 잠시 과도기적인 현상이 심하게 나타났던 것일 거야, 기혼은 생각한다.

"그래, 무슨 일이냐?"

여자 문제가 아닌 남자 문제에 대한 언급을 기혼이나 얀은 그날부터 지금까지 십 년이 넘도록 한 번도 하지 않는다. 울라도 그것에 관한 한 전혀 모르고 있다.

"혹시 영준 리, 이영준이라는 사람, 알아?"

자식에 대한 아버지의 이상적인 기호는 착함과 영특함, 건강함과 남자다움이다. 아버지는 자신의 이상에 부합하는 아들 둘을 원했다. 하지만 큰아들에게는 '고분고분하지 않음'이라는 기호가 있었다. 얀은 '남자에게 매력을 느낌'이라는 기호를 가지고 있다.

"이영준? 글쎄다. 그게 누구지?"

어디서 많이 들어본 것 같기도, 전혀 모르는 이름 같기도 하다.

"이번에 우리 회사에서 줄리아나 리라는 여자의 이야기를 찍기로 했어. 줄리아나는 1974년생이고, 그녀의 아버지는 1972년에 독일에 광부로 왔어. 1973년에 줄리아나 엄마와 사귀다가 한국 부인에게 돌아간 것 같다고 해. 파파가 모르면 파파 주변 사람에게 물어봐줄 수 있어? 혹시 그런 사람을 아느냐고? 1947년 5월 7일에 광주에서 태어났고, E도시에서 광부로 일했다고 해."

얀의 기호를 직면한 순간 아버지가 그의 뺨을 후려쳤다. 이게 대체 무슨 짓거리들이냐, 엉? 고래고래 소리를 지르며 그의 남자 친구를 발로 찼다. 얀은 컥, 숨이 막혔다. 아파서가 아니었다. 생전 보지 못한 아버지의 난반사적인 폭력 때문이었다.

얀은 평소에 남자 친구와의 애정 행위를 들키지 않으려고 조심했다. 하지만 그건 보통의 연인들이 어른이나 남 앞에서 삼가는 정도였다. 그게 그 정도의 폭력을 감수해야 하는 나쁜 짓이라고는 생각하지 않았다. 남자에게 매력을 느끼는 건 그에게 있어 무척이나 자연스러운 감정 중의 하나였기 때문이다. 이영준에 대해 아무렇지도 않은 듯 묻지만 그는 아버지가 여전히 불편하다.

"알았다. 내가 한번 물어보마. 여기 독일에도, 또 한국에도 파독광부협회가 있으니까. 하지만 오래된 일이라 알아낼 수 있을지 모르겠다. 협회에 얼굴을 내밀지 않는 사람은 찾기가 힘들어."

"아, 그렇군! 아무튼, 우리도 우리의 노하우를 이용해 계속 찾아볼게. 고마워, 파파."

그는 희돈에게 전화해서 물어볼까, 하다가 그만둔다. 그러지 말고 전화해볼까? 다시 망설이다가 그만둔다. 전화기에 손을 올려놓은 채, 내가 정말 늙은 걸까, 생각하며 쓴웃음을 짓는다.

나는 괜찮아

선이는 나흘 전부터 레몬 다이어트를 한다. 레몬 두 개를 각각 반으로 잘라 즙을 낸 다음 물 일 리터와 필드 단풍나무 시럽 한 숟가락, 카이엔 페퍼를 조금 섞어 아침에 두 잔, 저녁에 두 잔을 마신다. 점심에는 과일과 야채를 먹는다. 해독 다이어트, 실연 다이어트이자 재기 다이어트이기도 하다.

그녀는 이제 기형에게 메일을 쓰지 않는다. 메일을 쓰지 않으니 답장을 기다리지도 않는다. 답장이 올 리가 없어, 그러니까 실망하지 말자, 괜찮아, 진짜 괜찮아, 메일을 열 때마다 스스로를 세뇌시키지 않아서 좋다. 그녀는 재작년 가을에 그를 처음 만났다. 그는 그때 그녀가 사는 도시에 있는 대학에 일 년 동안 교환학생으로 막 온 터였다.

그날 선이는 할아버지, 희돈의 심부름으로 시장에 가던 중이었다. 노란 은행잎이 떨어진 거리를 터덜터덜 걸었다. 쌀쌀하지만 해가 나 은행잎의 노란 빛깔이 더욱 선명해 보였다. 마트의 주차장을 지나는데 툭, 소리가 났다. 돌아보니 한 한국 남자가 차에서 내리며 눈살을 찌푸렸다. 하얀 티셔츠에 파란색 면바지를 입은, 시쳇말로 간지 있게 옷을 입은 그가 에이, 뭐야, 왜 이렇게 차를 바짝 대놓은 거야, 투덜거렸다. 차 문이 옆 차의 조수석 문에 닿아 있었다.

옆 차의 운전석에는 짧은 금발에 얼굴이 하얀 여자가 인상을 구긴 채 어디론가 전화를 걸고 있었다. 그가 짜증이 난 얼굴로 옆 차의 조수석 문을 살폈다. 문의 손잡이 옆으로 약간의 흠집이 보였다.

"경찰을 불렀어요."

여자가 차에서 내리며 새쭉한 표정으로 말했다.

"만지지 말아요. 경찰이 와서 판단하게 냅둬요."

그가 차의 흠집을 만지려 하자 그녀가 일침을 놓았다. 그는 동양인치고 그리 작지 않은 눈을 부라리며 벌레 씹은 표정을 지었다. 아니, 경찰을 불렀다는 소리에 내심 겁을 먹은 듯 보였다. 선이는 그냥 지나칠 수가 없었다. 그의 독일어가 그리 능숙하지 않았다.

"죄송합니다. 근데 우리, 타협하는 게 어떨까요? 저기, 차 수리소가 있거든요."

선이는 그에게 찡긋, 눈웃음을 한번 날린 뒤 그녀에게 상냥하게 말을 걸었다. 괜히 기죽으면 그녀가 더 세게 나올지도 몰랐다. 선이보다 생일이 빠른 반 아이들이 운전면허증을 땄고, 몇몇은 접촉

사고를 겪은 터라 그러한 상황에 대해 잘 알고 있었다.

하지만 여자가 뭐라고 대답하기도 전에 경찰 두 명이 왔다. 그럴 때는 신속한 게 경찰이었다. 건너편에 있는 간이음식점에서 카레 소스를 뿌린 소시지를 점심으로 먹다가 왔는지 초록색 상의에 베이지색 바지를 입고 권총을 찬 경찰의 입가가 조금 노랗고 붉었다. 경찰의 옆구리에는 수갑까지 걸려 있었다. 기형은 진짜 겁을 먹은 듯했다. 경찰이 옆 차로 다가가 손으로 흠집을 살짝 문질렀다. 표시가 거의 나지 않을 정도로 말짱해졌다.

"이 정도는 사고로 처리할 필요가 없어요. 보험 처리를 하든지 합의를 보는 게 어떨까요?"

경찰이 웃으며 여자에게 물었다.

"그래요. 우리 저기, 차 수리소에 가서 견적을 한번 내봐요."

선이 또한 그녀에게 제안했다.

"오케이."

여자가 동의했다.

"고맙습니다."

선이가 경찰에게 인사했다.

"괜찮아. 이런 일을 위해 경찰이 있는 거지."

경찰 둘이 싱겁게 웃으며 자리를 떠났다. 그들은 차 수리소로 서둘러 차를 몰았다. 표면을 살짝 밀어주면 되겠네요, 이십에서 삼십 유로 정도 들겠어요, 정비공이 말했다.

"그곳만 밀면 차의 색감이 달라지지 않을까요?"

여자가 물었다. 전혀 그렇지 않을 테니 걱정하지 마세요, 정비공이 대답했다.

"우리가 오십 유로를 드릴게요. 그렇게 타협하는 게 어떨까요?"

선이가 기형과 이야기를 나눈 다음 그녀에게 제안했다.

"좋아요. 그렇게 합시다."

싫어요, 전문인의 감정을 한번 받아봐야겠어요, 라고 그녀가 말하면 얼마나 일이 귀찮아질까 생각하던 찰나 여자가 대답했다.

"혹시 모르니까 당신의 이름과 메일 주소를 적어주세요."

여자가 그에게서 오십 유로짜리 지폐를 받아 지갑에 넣으며 말했다.

"당신도 여기에다 이 남자에게서 돈을 받았다는 사실을 적어주세요. 그 아래에다 사인을 해주시고요."

선이도 지지 않았다. 그에게서 종이 한 장을 받아 여자에게 넘겨주었다. 그들은 웃으며 인사를 나눈 뒤에 헤어졌다. 더 이상한 사람도 있는데 이만하기 다행이에요, 선이가 그를 위로했다.

"고마워."

떨떠름한 기분을 감추지 못한 그가 진짜 고마운 건지 말만 그런 건지 모를 표정으로 대꾸했다. 선이는 기형과 휴대폰 번호를 나눠 찍은 다음 헤어졌다. 십 분이면 다녀올 시장인데 한 시간이 넘어도 오지 않자 할아버지가 그새 열 번도 넘게 전화한 상태였다.

며칠 후 그에게서 '카톡'이 왔다.

'그녀에게서 메일이 왔어. 이십오 유로로 처리했다고, 나머지 이십오 유로를 돌려주겠다고 해. 함께 만나자는데?'

네, 그러지요 뭐, 라고 답신을 보낸 며칠 뒤에 셋이 만났다.

"그날 내가 까다로운 친구의 차를 잠시 빌려 타고 온 상태였어요. 더럭 겁이 나서 그랬어요. 돈을 뜯어내거나 일을 복잡하게 하려고 한 게 아니었어요. 당신들에게 내내 미안했어요."

밥맛이던 그녀가 부드러운 빵맛으로 변해 있었다. 그날 셋은 나머지 이십오 유로로 커피를 마시고 케이크를 먹으며 수다를 떨었다. 십 유로가 남아 선이와 기형은 다시 만났다. 둘 다 좋아하는 아이스크림을 사 먹었다. 그 뒤에는 우연히, 아니면 선이가 전화해 가끔 만났다.

"난 한국에 여자 친구가 있어. 저번 일도 있고, 또 네가 착한 동생 같아서 만나는 거야. 마음에 들어서가 아니야. 넌 내 스타일이 아니거든. 그러니까 그렇게 알고 네가 맞춰."

아침에 깎아 저녁 무렵까지 자란 수염처럼 그가 까칠하게 말했다.

일주일, 이 주일이 지나고 한 달, 두 달이 지났다. 선이는 그를 만날 때마다 눈치를 보았다. 사람이란 별것에 다 적응하게 되어 있는지 별꼴이다, 싶던 마음이 그런가 보다, 싶은 마음으로 바뀌었다. 그 또한 그녀에게 적응이 되었는지 어느 날 웃는 얼굴로 그녀의 이야기를 들어주었다. 맞장구를 쳐주기도 했다. 이제야 그의 마음을 얻었나 싶어 그녀는 기뻤다.

선이는 어느 날 그의 페이스북 담벼락을 들여다보았다. 내년 가을, 한국에 돌아가면 꼭 그 치킨집에 찾아가겠어, 라고 그가 써놓았다. 그 아래에다 침이 꼴깍 넘어갈 정도로 맛있어 보이는 치킨 사진을 올려놓았다. 사진 아래에는 수십 개도 넘는 댓글이 달려 있었다. 나도 데려가줘. 그 집, 나도 알아, 아주 맛있어. 아, 나도 나도. 내가 쏠게. 거기 나랑 몇 번 갔었지? 그걸 네가 못 잊는 거구나? 그의 여자 친구인 듯한 사람의 댓글도 보였다. 선이야, 네가 언젠가 한국에 나오면 내가 거기, 꼭 데리고 갈게, 약속해. 그가 언젠가 선이에게 말한 적이 있는 치킨집이었다.

'오빠가 올려놓은 치킨 사진을 보았어요. 그곳에 날 데려가겠다고 약속했는데……. 그거, 나만 기억하나? 오빠, 다른 여자랑도 갈 생각이에요?'

선이는 그에게 카톡을 보냈다.

'그렇게 말한 거 나도 기억해. 그 여자들? 페북 친구일 뿐이야. 얼굴 몇 번 본 여자도 있고, 학교 친구도 있고. 그냥 친한 애들이야.'

그에게서 한참 후에 카톡이 왔다.

'난 그 약속, 우리 둘만의 특별한 약속이라고 생각했어요. 그곳, 아무하고 가도 되는 곳이에요? 참담한 기분이에요.'

'그 치킨집? 언젠가 너랑 한번 가면 되잖아? 너랑 가자고 했다고 다른 사람하고 가지 말란 법이 어딨어? 그 댓글을 보고 둘만의 특별한 약속이 아니었느냐고 하면 나, 딱히 할 말이 없다. 뭔가 착각하는 거 같은데, 내가 너랑 가겠다는 약속을 했다만 그 전이나

그 후에 누구와도 갈 수 있는 곳이야. 그걸 몰라?'

'아, 미안. 내가 왜 이러는지 모르겠다. 오버 샘플링이 되지 않는 전축처럼 넘어가지 않고 자꾸 튀네.'

'너, 오버하는 거야. 네가 내 마눌이라도 되냐?'

'그러니까 특별한 의미가 없는 약속이었다는 거죠? 난 오빠가 날 다른 여자랑 좀 다르게 생각하는 줄 알고…….'

'내가 첨부터 얘기했지? 네가 착한 동생 같아서 만나는 거라고. 내겐 여친이 있다고.'

'그놈의 치킨집이 뭔지…… 크크. 오빠, 내 이해 용량이 적었어요. 용서해요. 그래도, 그럼에도 불구하고 내가 왜 이렇게 말하는지, 조금도 이해 못하겠어요?'

'응.'

'그건, 이해할 의지가 전혀 없다는 뜻이죠?'

'이해하고 말고가 아니라, 너랑 약속했다고 너하고 가기 전에는 내가 그 누구하고도 치킨을 먹으러 가면 안 되냐? 왜?'

'아, 그만! 난 오빠가 나와의 약속을 잊고 여러 여자들에게 말한 줄 알았어요.'

'아, 글쎄 너하고 약속한 거랑 다른 여자하고 거기 가는 건 별개라니까! 다른 여자랑 다녀온 다음에라도 너랑 갈 수 있는 곳이야. 그냥 치킨집이라고. 왜 아무것도 아닌 일에 참담하니 어쩌니 그러지?'

이 대목에서 선이는 번쩍, 정신이 들었다. 그는 워낙 그런 사람이었다. 잎이 변해 가시가 된 선인장 같은 마음을 가진 사람이었다.

선이는 어제 점심으로 홍당무 두 개와 삶은 감자 두 개, 사과 하나를 먹었다. 조금 아까 점심에는 할아버지의 강요에 못 이기는 척, 칠면조 살코기가 들어간 샐러드 한 그릇을 바게트 빵과 함께 먹었다. 일주일 후면 여름방학이고, 방학하자마자 그녀는 미샤와 여행을 떠나기로 했다. 그녀는 열흘 동안 살을 빼 수영복을 새로 살 생각이다.

'오늘 밤에 네게 갈게. 미니스커트 입고 있어, 알았지?'

요즘 한창 선이에게 열을 올리고 있는 미샤가 카톡을 보낸다.

'크크, 알았어. 아직 살이 안 빠져서 다행이야. 예전에 입던 치마를 입으면 꼭 미니스커트를 입고 있는 것처럼 보이거든.'

'근데, 김치랑 고추장 넣은 음식은 너무 많이 먹지 마. 키스할 때 입술이 따가워.'

'너나 수염 깔끔하게 깎고 와. 수염이 입가를 찌르면 아파.'

'映(오케이).'

선이는 얼마 전에 산부인과에 가서 식물성으로 된 호르몬제를 타 왔다. 호르몬제 덕분에 섹스에의 열망이 조금씩 조절되어가고 있다. 미샤가 있어서 더욱 조절이 가능하다. 선이는 미이를 낳은 후부터 길을 걷거나 차를 타고 갈 때 온몸에 진동이 일며 성적 욕망이 일었다. 보통은 아기와의 피부 접촉 시간이 길어져 다른 육체와의 접촉에 대한 욕망이 떨어진다는데 나는 왜 그 반대일까? 싶은 생각에 인터넷을 뒤져보았다. 다음과 같은 질문과 댓글이 적혀 있었다.

—저는 22살입니다. 세 달 전에 딸을 낳았어요. 아이를 낳기 전에는 보통 사람과 비슷하게 또는 좀 액티브하게 섹스를 하는 편이었는데 지금은 섹스를 빼놓고는 그 어떤 것도 생각할 수가 없네요. 제 남자 친구는 상관이 없다고, 아니 훨씬 좋다고 하는데 문제는, 어젯밤에 섹스를 세 번이나 했는데도 제가 만족스럽지 않다는 거예요. 이게 대체 무슨 일일까요?

—저는 아이를 셋이나 낳았지만 그런 현상이 한 번도 일어나지 않았어요. 하지만 들은 바에 의하면 갱년기에 그렇듯 출산 후에도 호르몬이 비정상적으로 분비되는 경우가 있다는군요. 그러니까 너무 걱정하지 않아도 될 듯합니다. 그 아름다운 시간을 마음껏 즐기면서 호르몬 작용이 정상으로 돌아올 때까지 기다려보는 것도 나쁘지 않을 것 같네요.

—좋은 말씀 감사합니다. 제발 빨리 정상으로 돌아왔으면 좋겠어요. 가끔 너무 힘들거든요.

—만약 너무 힘들면 산부인과에 가서 피검사를 한번 받아보세요. 요즘은 식물성 호르몬 조절제도 있으니까 그걸 복용하면 되겠지요. 약이 그렇게 몸에 해롭지만은 않다고 해요.

선이는 미샤와 카톡을 한 다음 할아버지와 다이어트 계획을 짠다. 처음에 다이어트를 함께하자고 했을 때 시큰둥하던 그가 그녀의 몸무게가 나흘 만에 이 킬로그램이 빠지는 걸 보자 구미가 당기나 보다. 아무래도 그녀가 얼마 전에 지나가는 말인 듯 이야기한 스킨십과 치매와의 관계에 대해 곰곰 생각을 해본 모양이다. 피부는 뇌 생성 시에 같이 만들어졌다, 그래서 피부를 '노출된 뇌'라고 한다, 스킨십을 많이 하는 노인들은 뇌가 자극돼 치매에 잘 안 걸린다, 라는 이야기. 스킨십의 대상은 지금으로서는 바바라가 유력하다.

희돈은 다음 날부터 일명 스킨십 다이어트를 하기로 선이와 약속한다. 아침에 콩나물국에 밥을 조금 말아 먹는 반칙 내지는 융통성을 발휘하는 것을 빼고 선이와 똑같이 하기로 한다. 간단한 다이어트 계획을 짠 게 전부인데 먹는 즐거움을 포기해야 한다는 생각 하나만으로 그는 지친다. 소파에 눕는다. 잠시 바바라 생각을 한다. 작년 가을, 임신한 선이와 상담을 하기 위해 집으로 찾아온 그녀가 환하게 웃었다. 눈과 입 주위에 주름이 있어 첫눈에 나이가 좀 들어 보였다. 하지만 그에게 손을 내밀며 나는 바바라라고 해요, 라고 자신을 소개하는 순간 그는 그녀를 다른 눈으로 보게 되었다. 바바라, 광부들을 위험에서 지켜주는 여자 수호성인의 이름이었다. 그와 그의 동료들은 지하 천 미터 갱으로 내려가기 전에 바바라의 동상에다 대고 몇 번이고 그날의 안위를 빌었다.

젊어야, 젊어 보여야 매력이 있는 것은 아닌지 그날 이후 그의 눈길이 자꾸 바바라에게 갔다. 바바라는 올해 쉰셋인데 혼자 살고 있다. 십 년 전에 남편과 이혼하고 어머니와 함께 살다가, 얼마 전에 어머니가 돌아가셨다. 아내와 사별한 이후 희돈은 성욕이 사라졌다. 한번 사라지자 돌아오지 않았는데, 바바라에게 호감을 가지고 있는 지금 조금 아쉬운 생각이 드는 게 사실이다.

선이가 바바라를 처음 만난 건 기형이 떠난 직후였다. 그가 떠나기 한 달 전, 그러니까 지난해 9월에 규칙적이던 생리가 나오지 않았다. 약국에 가서 임신 테스트 스트립을 구입해 소변에 잠시 담가두었더니 선명한 보라색이 나타났다. 예상한 대로, 원하던 대로 임신이었다.

선이는 용기를 내 처음으로 산부인과를 찾았다. 임신 9주째라고 했다. 아이의 심장 소리를 처음으로 들었다. 쿵쾅쿵쾅, 아이의 것이라고는 믿어지지 않을 정도로 우렁찼다. 나야, 나 여기 있어, 소리치는 것 같았다. 충만함이 밀려들었다. 그녀만의 것이 생긴 것이다. 그녀가 떠나지 않는 한 그녀의 곁을 떠나지 않을 그녀만의 아이! 엄마와 아저씨, 할머니가 차례로 그녀의 곁을 떠났고 한 달 후면 기형이 떠날 것이다. 언젠가는 할아버지마저 떠날 것이다. 엄마는 열일곱 살이 되던 해에 누구를 몇 번이나 떠나보낸 다음 자신을 낳은 것일까, 선이는 생각했다.

임신 13주째에 접어들었을 때 바바라가 집으로 찾아와 선이와 할아버지의 이런저런 이야기를 들어주었다. 선이의 분만 전과 분만 시, 그리고 분만 후에 그녀가 동행해주기로 약속했다. 커다란 병원 대신 조산원에서 아이를 낳기로 결정한 선이가 서둘러 조산원에 신청해놓은 덕분이었다. 모든 비용은 의료보험에서 지불해

줄 터였다.

처음 넉 달간 선이는 피곤하고 속이 메스꺼웠다. 할아버지가 해주는 반찬 중에서 고추장을 넣어 칼칼하게 볶은 멸치를 좋아했는데 그건 쳐다보기도 싫었다. 대신 토마토와 삶은 감자가 입맛을 당겼다. 순하고 둥글둥글한 아이가 태어날 것 같아 힘은 들어도 기분이 좋았다.

곧 메스꺼움이 사라졌고, 그녀는 살이 쪘다. 학교에 소문이 퍼졌다. 친구의 반 정도는 임신한 그녀를 이상하게 쳐다보며 말을 붙이지 않았다. 나머지 반은 아무 상관이 없다는 듯 예전처럼 편안하게 선이를 대해주었다. 이모네 집에서 가져왔다며 아기 침대와 이불, 유모차를 가져다주기도 했다. 선이는 친구들과 함께 아기 방을 꾸몄다. 친구는 반만으로 충분했다.

분만 전 바바라는 4주에 한 번, 임신 32주부터는 2주에 한 번, 예정일이 지난 후부터는 이틀에 한 번 집으로 왔다. 매번 몸무게와 혈압을 재고 아이의 심장 뛰는 상태를 살폈다. 소변검사와 피검사를 하는 한편 선이의 상태를 꼼꼼히 체크하여 기록으로 남겼다.

선이는 조산원에서 주관하는, 바바라 담당의 임산부를 위한 코스에 다니기도 했다. 의료보험에서 열네 시간을 지불해주었다. 그 시간에 다른 임산부와 이야기를 나누며 두려움을 덜었다. 이미 아이를 낳아본 사람에게 많은 정보를 얻기도 했다. 분만 시의 호흡법을 함께 배웠다. 릴렉스를 위한 체조를 함께하기도, 분만실에 함께 답사를 가기도 했다.

미이를 낳는 날, 바바라는 선이의 표정만으로 진통의 정도를 알았다. 배를 만지는 것으로 자궁경부가 몇 센티미터 열렸는지 예견했다. 선이가 그녀를 백 퍼센트 신뢰한다는 걸 감지한 후에야 검지와 중지를 선이의 질 속에 넣었다. 아이의 머리가 어디까지 내려왔는지 검진한 다음 두 손가락을 벌려 자궁경부가 몇 센티미터 열렸는지를 쟀다.

선이, 아기의 까만 머리카락이 보여. 와, 숱이 많기도 하네. 선이, 왼손으로 왼쪽 다리를 잡고, 오른손으로 오른쪽 다리를 잡아. 꽉 잡아. 아랫배에다 힘을 줘. 속의 것을 깡그리 밀어낸다는 기분으로 힘을 줘. 세게! 있는 힘을 다해서 아래로 세게! 좋아! 아주 잘하고 있어. 자, 조금만 더! 아주 좋아. 자, 잊지 말고 코로 공기를 들여 마시고, 입으로 천천히 뱉어. 옳지, 아주 잘하고 있어. 자, 다시 한 번 아랫배에다가 힘을! 조금만 더! 그렇지. 좋아! 아주 좋아! 바바라가 연신 소리쳤다. 호흡에 신경 쓰랴 아랫배에 힘주랴 선이는 정신이 없었다. 빨리 이 순간이 지나가기를 학수고대했다. 하지만 빨리 지나가면 좋을 것 같은 순간이 봄 여름 가을 겨울처럼 길게 느껴졌다.

마지막으로 한 번 더 힘을! 소리친 바바라가 선이의 배 위에다 자신의 두 손을 올려놓았다. 온 힘을 다해 아래로, 아래로 밀어대었다. 후두둑, 소리와 함께 배 속의 모든 것이 빠져나간 듯 순간적으로 몸이 가벼워졌다. 응애! 소리가 들렸다. 아, 세상의 모든 아이들이 이렇게 태어나는구나, 봄 여름 가을 겨울처럼 길게 느껴지는 시간에 젖 먹던 힘까지 짜내야 태어나는 거구나, 선이는 정신이 몽롱한 가운데 생각했다. 세상의 모든 엄마들이 위대해 보였다. 순간 자신의 엄마, 진이의 모든 게 이해되었다.

"선이, 금방 구워낸 빵처럼 따끈따끈한 엄마가 되었어. 축하해."

아기를 팔에 안은 바바라가 빨갛게 상기된 얼굴로 싱글거렸다.

"당케, 바바라. 필렌 필렌(정말 정말) 당크, 바바라."

엄마, 라는 위대한 인간의 대열에 서기 위해 이십여 시간 혼신의 힘을 다한 선이는 입술을 달달 떨며 조그맣게 되뇌었다. 아기의 피부에 묻은 허연 분비물을 닦아내고, 아기의 입에 가는 관을 집어넣어 분비물을 꺼내는 등 이런저런 뒤처리에 바쁜 바바라의 뒷모습을 바라보며 선이는 지난해 10월, 기형과의 마지막 장면을 떠올리며 까무룩 잠이 들었다.

그날 둘은 처음 만난 날처럼 쌀쌀하지만 반짝, 하고 해가 난 길을 걸었다. 노란 은행잎이 떨어진 길이었다. 한참 걷자 둘 앞에 아이스크림 가게가 나타났다. 임신 석 달째라 속이 안 좋은 선이는 아이스크림이 먹고 싶었다. 먹으면 메스꺼움이 좀 가라앉을 것 같았다. 주머니 속에 들어 있는 일 유로짜리 동전을 만지작거리며 그를 쳐다보았다. 그가 먹고 싶은 듯 입맛을 다셨다.

"얼마 안 되는데, 내가 쏠게."

자신과 함께 있을 때만 돈이 없는 그에게 그녀가 아이스크림을 사주었다.

"고마워. 근데, 왜 자꾸 쳐다봐? 먹고 싶어? 한입 줄까?"

그가 혀로 아이스크림을 핥으며 물었다.

"아니야. 난 아이스크림이 싫어졌어. 칼로리가 짱 많아 살만 찌니까."

괜히 한입 먹고 입만 버리지, 싫어 선이가 사양했다.

"나, 내일 떠나."

그가 아이스크림이 반쯤 남아 있는 과자를 아사삭, 깨물며 말했다.

"알아요. 일 년이 지났어."

아이스크림이 싫어졌다고 말한 이후 먹고 싶으냐는 말을 한 번 더 물어주지 않는 그, 몇 번 잠자리를 할 때를 빼고는 언제나 차갑고 냉정한 그에게 선이가 대답했다.

"건강하게 잘 지내. 언제 또 보겠지. 아이스크림, 맛있게 잘 먹었다. 먹고 떨어져라, 이런 생각으로 사준 건 아니겠지? 하하."

그가 과자의 끝부분을 입에 털어 넣으며 웃었다.

"당근이지."

선이는 자꾸 치솟는 신물을 꿀꺽 삼키며 대답했다. 멀어질까 두려워 그의 욕구를 받아들일 때마다 꿀꺽, 꿀꺽, 침을 삼켰듯이. 열 번 정도 꿀꺽, 꿀꺽, 마른 침을 삼키고 난 후에야 그의 격한 숨소리가 잦아들었다. 너, 피임약 먹는다고 했지? 응. 진짜지? 응. 좋았어? 응. 나 말고 다른 남자와도 잤지? 응. 그때도 좋았어? 응. 독일에 살고 있는 애들은 성에 관한 한 참 개방적이어서 좋아, 그지? 응. 그는 섹스를 끝내고 나서 늘 그렇게 물었고 그녀는 응, 이라고 짧게 대답했다.

"안녕."

그가 그녀를 살짝 안으며 이별을 고했다.

"응."

그녀는 엉덩이를 뒤로 빼고 가슴이 닿을까 말까 하는 엉거주춤한 자세로 그에게 안긴 채 짧게 대답했다. 실컷 좋아하고 실컷 아파했으면 됐어, 지금까지 그랬듯 앞으로도 그에 관한 한 일체 함구하자, 그녀는 생각했다.

"안 슬프지?"

스타일에 맞지 않지만 착한 동생이라 만나주었어, 그게 어디야, 라고 말하는 표정으로 그가 물었다.

"응."

내가 이 남자를 좋아했기 때문이야, 좋아하는 것으로 만족하지 않고 좋아해주기를 바랐기 때문이야, 다 나 때문이야, 이 남자는 워낙 이런 사람이었어, 선이는 생각하며 대답했다.

"파트너가 없어서 이제 좀 아쉽기는 하겠다, 그지?"

"응."

혹시 그의 마음이 바뀌지 않을까, 진짜 가버리는 건 아니겠지, 끝까지 희망을 놓지 않았던 선이는 그의 눈을 마주 볼 수가 없었다. 고개를 숙인 채 계속 끄덕거리기만 했다. 끄덕일 때마다 그녀의 안색처럼 노란 은행잎 위로 토독, 토독, 눈물이 떨어졌다.

*

선이의 실연 다이어트이자 재기 다이어트 엿새째 되는 날 저녁이다. 선이는 다이어트에 꼭 성공해야 한다. 다음 주, 여름방학이 시작되는 날, 미샤와 스페인의 코스타 델 솔, 그 유명한 태양의 해변으로 2주간 여행을 떠나기로 했다. 그의 부모가 노년의 생활을 위해 스페인의 남부, 사백 킬로미터에 달하는 해변이 있는 곳에 별장을 하나 사놓았는데 요즘 부동산 경기가 좋지 않아 손해가 이만저만이 아니라고 했다. 항상 비어 있어, 네가 비행기 삯만 마련하면 돼, 미샤가 말했다.

선이의 다이어트 프로그램은 희돈을 적이 안심시켰다. 한참 만화방창할 나이에 표현은 하지 않지만 그 속이 오죽할까. 우울증에라도 걸리지 않을까 끌탕했는데 저런 낙천적인 기질이 어디서 나왔을까 싶게 꿋꿋한 모습이 사뭇 대견스럽다. 문제는 희돈 자신의 건강이었다. 선이와 미이를 위해서라도 건강관리를 해야 하는데 몸이 예전 같지 않은 게 여간 걱정이 아니다.

새벽녘에 희돈은 가슴에 대못이 박히는 통증을 느끼며 잠에서 깨어난다. 몸을 움츠린 채 한참 동안 끙끙 신음소리를 낸다. 혈압약이랑 당뇨 약을 동시에 먹어서 그런지도 몰라, 의사가 모르는 부작용이 있을 수도 있지, 생각하며 그는 얼얼한 심장 부근을 손으로 비빈다. 늙느라 그런지 요즘 오줌도 찔끔찔끔 나오고, 몸에 항상 열이 있는 듯 느껴진다.

선이는 레몬 음료 두 잔을 마시고 학교에 갔다. 미이는 아침잠을 자고 있다. 그는 소파에 누워 병든 닭처럼 졸다 깨다를 반복한다. 재외동포 문학상에 자신의 기막힌 삶의 내력을 시로 적어 7월 말까지 응모해야 한다는 압박감에 시달리느라 그는 더욱 존다. 그는 예전에도 시험 전날이면 졸음이 쏟아져 시험을 망치곤 했다.

그러던 어느 순간 재독 시인 김희돈이 웃으며 상패와 상금을 받는다. 그 모습을 바바라가 바라보고 있다. 엄지를 치켜든 채 환하게 웃는다. 그는 뿌듯한 마음에 허허, 소리를 내며 웃는다. 허허, 소리를 내다가 그는 잠에서 깨어난다. 미이는 아직 자고 있다. 그는 식탁에 앉는다. 반짝, 하고 시상이 떠오른다. 떠오르는 대로 적어 내려간다.

딸이 교통사고를 당했다 무척 슬펐다
딸의 남자 친구도 교통사고를 당했다 너무 마음이 아팠다
아내가 급성정신병에 시달리다 죽었다 매우 가슴이 저렸다

희돈은 거기까지 쓰다가 매우 가슴이 저렸다, 에서 매우를 되게, 라는 부사로 바꾼다. 되게 가슴이 저렸다, 라고 수정한 다음 처음부터 다시 읽어본다. 자신의 아픔의 강도가 다양한 부사의 사용으로 적절하게 조절된 듯싶다. 시의 각 행마다 삶의 비의 또한 그대로 담겨 있는 듯하다. 그래, 이렇게 시작하는 거야. 자신감이 차오른다. 하지만 그다음에 무슨 말을 써야 할지 알 수가 없다. 그는

쓴 것을 다시 읽는다. 두 번째로 읽으니 처음 읽었을 때와 다르다. 뼈대만 앙상한 나무처럼 보인다. 그는 휴우, 한숨을 내쉰다. 잠시 옛 생각에 잠긴다.

십사 년 전에 의대생이던 딸 진이는 엄마의 생일을 챙긴답시고 수업이 끝나자마자 케이크를 샀다. 집에 돌아가 막 세 살이 된 선이와 남자 친구 상현을 데리고 엄마의 집에 갈 요량으로 부랴부랴 길을 건넜다. 그때 느닷없이 나타난 차가 진이를 들이박았다. 진이의 몸이 붕— 떠서 이십팔 미터 앞으로 튕겨 나갔다. 퍽, 소리와 함께 진이의 머리에서 피가 흘러 길바닥에 괴었다. 구급차가 왔지만 소용이 없었다.

진이는 사고를 당하던 순간 통화 버튼을 누르고 있었다. 상현이거나, 수업을 마칠 때까지 집에서 선이를 봐주는 사람이거나, 희돈이나 엄마 선화의 전화번호가 아니었다. 상현과 사귀기 얼마 전에 헤어진 남자 친구의 번호를 누르고 있었다.

희돈과 선화는 진이를 청동기 시대부터 내려온 풍습 그대로 화장을 했다. 지상에서 망가진 딸의 몸이 뜨거운 불의 정화 작용으로 다시 태어나는 아기처럼 따듯하면서도 부드럽고 온전해지기를 빌었다.

진이의 장례식 날 선화는 눈물 콧물을 짜며 우는 희돈의 손을 꼭 잡아주었다. 그녀는 장례 기간 내내 차분하게 행동했다. 아무런 준비가 되어 있지 않던 상태에서 장례를 치르느라 슬퍼할 겨를이 없나 보았다. 상현은 장례식에 오지 않았다.

상현은 진이보다 두 살이 많았다. 집안끼리 자주 오가며 식사를 했고 여행도 함께 다녔기에 진이는 상현을 오빠라 부르며 잘 따랐고, 상현도 진이를 귀여워했다. 진이는 열일곱 살에 아이를 낳았고, 선이가 두 살이 되었을 무렵 역시 의대생이던 상현과 함께 살기 시작했다. 희돈과 선화는 기뻤지만 상현의 부모는 둘의 동거를 완강히 반대했다. 아이들 때문에 희돈과 기혼은 원수 아닌 원수가 되었다.

상현은 진이가 마지막 순간에 통화하려던 사람이 자신이 아니었다는 걸 받아들이지 못해 술을 마셨다. 그녀의 장례식에 참석하지 않은 것을 자책하며 점점 더 술독에 빠져들었다. 찬장 구석에 있던 진이의 일기장을 읽으며 폭음을 하기도 했다. 일기장에다 그녀는 상현을 '그이가 떠난 후에 찾아온 애도용 남친'이라고 적어 놓았다.

희돈과 선화가 선이를 키웠다. 선이를 보면 진이가 떠오르는지 상현은 선이를 보러 오지 않았다. 선이의 네 번째 생일도 모르고 있었다.

"하라버지, 아찌 보고 시퍼. 언능 전화해, 언능, 응?"

밖이 어두워질 때까지 상현에게서 전화 한 통이 없자 선이가 칭얼댔다. 그는 상현에게 전화했다. 상현은 천으로 만들어진 조그만 강아지 인형을 사 들고 왔다. 인형보다 먼저 산 게 틀림없는 술병을 다른 손에 쥐고 있었다. 졸음을 무릅쓰고 그를 기다린 선이를 안아주기는커녕 눈도 맞추지 않았다. 강아지 인형을 엄지와 검지로 살짝 집어 선이에게 건네준 다음 식탁에 앉아 병나발을 불어댔다.

"진이가요…… 진이가 나를 사랑하지 않았어요. 나를 사랑한다고 해놓고 사실은 사랑한 게 아니었어요. 떠나버린 그놈에 대한 미련을 못 버리고 계속 그놈에게 전화를 했다고요. 나랑 결혼 계획을 세우고 있었는데…… 이게 말이 돼요? 말이 되냐고! 그놈을 만나야 할 것 같아 전화를 했어요. 근데 진이의 사고 소식을 듣고 전화번호를 바꿨는지 어쨌는지 연결이 되지 않았어요. 아, 몰랐어. 감쪽같이 몰랐어…… 이게, 말이 돼요? 말이 되냐고! 따져봐야겠어. 하늘 끝까지 따라가서라도 따져봐야겠어!"

혀가 꼬부라져 두서없이 말을 쏟아내던 상현이 벌떡 일어났다. 밖에는 비가 쏟아지고 있었다. 희돈의 만류를 뿌리치고 그가 만취한 채로 차를 몰았다. 희돈의 집에서 채 삼 킬로미터도 가지 못하고 차바퀴가 빗길에 미끄러졌다. 그는 나무를 들이받고 그 자리에서 죽었다.

상현이 살던 집은 기혼네가 정리했다. 기혼은 희돈네가 근처에 얼씬도 못하게끔 했다. 그놈이 누구인지, 그놈이 혹시 선이의 아빠가 아닌지, 진이가 그놈에게 계속 전화하고 있다는 걸 상현이 어떻게 알았는지, 희돈과 선화는 알 수가 없었다.

선화는 딸과 상현을 잃은 후 야근을 하는 등 더욱 열심히 간호사 일을 했다. 먹는 시간과 자는 시간을 아껴 선이를 돌보고 집안일을 했다. 희돈은 쉬지 않고 일하는 선화가 불안했다. 그녀를 위해 시간을 내야 할 것 같았다. 광부 계약이 끝나자마자 취직해 이십여 년간 근무한 자동차 공장에 4주간의 휴가를 냈다. 아내에게 2주간의 병가를 써달라고 친한 의사에게 찾아가 부탁을 했다.

병가를 내어 집에 있던 어느 날이었다. 선화가 잠을 못 자 게슴츠레한 눈으로 거실로 나가다 탁자에 다리를 부딪쳤다. 비명이나 신음 소리를 내는 대신 그녀는 메말라 버석거리는 입술로 조용조용 말했다.

“여보, 이곳에 이런 게 왜 놓여 있나, 라는 건 중요하지 않아요. 이곳에 이것이 놓여 있다, 라는 게 중요해. 그러니까 당신, 주의해야 해요, 응? 주의하는 게 좋아.”

희돈은 그녀의 손을 꼭 잡고 아무 말 없이 손등을 쓰다듬어주었다. 히힛, 아내가 웃었다. 아니, 히힉, 울었던가? 웃음 같기도 하고 울음 같기도 한 소리가 그의 심장을 향해 날아오는 활 소리처럼 들렸다.

선화는 병가가 끝나기도 전에 일을 하러 나갔다. 퇴근 후에는 선이를 씻기고, 빨래하고, 청소를 했다. 그가 이미 해놓았지만 성에 차지 않아 보였다.

“여보, 운동을 하면 정신이 맑아지고 잠도 잘 올 것 같아요.”

선화가 잠이 모자라 충혈되고 퀭한 눈으로 말했다.

“여보, 집이 더 이상 안전하지 않아요. 그래서 난 그냥 집으로 돌아오지 않았어요. 동네를 다섯 바퀴나 돌았지요. 내 앞으로 어떤 여자가 지나가는데 빨간 치마를 입었더라고. 난 금방 알아차렸어요. 곧장 집으로 가지 말고 돌아가라는 표시라는 것을.”

조깅하러 나갔던 아내가 초점이 없는 눈으로 돌아와 소곤거렸다. 아내가 좀 이상하다고 생각하지 않은 건 아니지만 그게 어떤 상황인지 감을 잡지 못하던 그는 아차, 싶었다. 휴가를 반납하고 매일 근무하러 나가는 한편 모든 일에 열심이고 운동까지 거르지 않아 그저 좋은 징조려니, 생각한 것이 잘못이었다.

그는 그녀를 신경과 의사에게 데려가려고 했다. 하지만 아침 근무에서 돌아온 아내는 지칠 대로 지쳤는지 침대 위에 털썩 쓰러져 잠이 들었다. 잠을 좀 자서인지 그날과 그다음 날, 아내는 이상한 증세를 보이지 않았다. 그는 조금 더 두고 보기로 했다.

그러는 사이 또 얼마간의 시간이 지났다. 그는 아내가 잘 자고 있는지 확인하기 위해 잠에서 깨어났다. 조금 전까지 옆에 누워 있던 아내가 어둠 속에 곧추 서 있었다. 한참 동안 꼼짝도 하지 않았다.

"여보……."

그가 눈을 비비며 조그맣게 아내를 불렀다.

"한발 늦었어요. 그놈이 내가 잠든 사이에 내 발이 닿을 만한 곳에 밀가루를 뿌려놓았어요. 내가 어디로 가는지 정확히 알아내기 위해서예요. 내가 조금이라도 움직이면 그놈이 날 따라올 거예요. 하지만 걱정하지 말아요. 난 움직이지 않을 자신이 있어요. 암, 자신 있고말고요."

붙박인 듯 꼼짝도 않으며 조용조용 말하는 아내를 보자 중학교 때 읽었던 그리스 신화 속의 아트로포스 여신이 떠올랐다. 커다랗고 번쩍이는 가위를 손에 쥔 아트로포스가 자신이 자아낸 운명의 실을 싹뚝, 잘라버릴 그 가장 적당한 때를 기다리며 아내 위에 서 있는 듯했다. 그리스어로 '돌아오지 않는다'라는 뜻인 아트로포스의 행동은 그 누구도, 그 무엇으로도 중단시킬 수 없었다.

"여보, 바닥에는 아무것도 없어. 그러니까 우리, 침대에 가서 좀 눕자, 응? 자, 내가 업어줄게, 응?"

그가 아내에게 다가가 등을 들이댔다.

"괜찮아요. 난 괜찮으니까 걱정하지 말아요. 나는 참아낼 수 있어요. 당신을 위해서라면, 선이를 위해서라면 나는 뭐든 참아낼 수 있어요."

아내가 바닥만 뚫어져라 바라보며 자분자분 말했다. 그는 아내의 손을 꼭 잡았다. 아무 말 없이 아내를 안아 등을 쓰다듬어주었다. 그의 눈에 어둠이 가득 고였다. 눈을 감아도, 감았던 눈을 다시 떠도 어둠이 사라지지 않았다. 아내가 다시 히힛, 웃음인지 울음인지 모를 소리를 냈다.

그는 지쳐 쓰러진 아내를 신경과 병동에 입원시켰다.

"갑자기 많은 스트레스를 받아 발병한 급성기 정신질환이에요. 먹지 않고 자지 않아도 힘이 넘치지요. 헛것을 보고 헛소리를 듣다가 자살 충동으로 이어지기도 합니다. 적절한 항정신병 약물을 투여해야 해요. 약물 투여로 환자의 흥분 상태를 우선 가라앉힌 다음 치료진과 의사소통을 도모하며 향후 대책을 세워야 하지요. 몇 개월 안에, 빠르면 몇 주 안에 증상이 호전될 수 있으니까 너무 걱정하지 마세요."

의사가 말했다. 하지만 선화는 입원한 지 얼마 되지 않아 병원에서 사라졌다. 선이 때문에 그가 그녀의 옆에 계속 붙어 있지 못했기 때문이다. 그 얼마 후에 선화는 어이없게도 공원에 쓰러져 뇌진탕으로 죽은 채 발견되었다.

미이가 깬다. 시를 쓰다 잠시 옛 생각에 잠겨 있던 그는 볼펜을 내려놓는다. 그래, 첫술에 배부를 수 없지, 생각하며 그는 미이에게 우유를 먹인다. 산책 겸 시장에 나간다.

글뤽 아우프! 누군가 인사를 한다. 뒤돌아보니 예전에 함께 탄을 팠던 독일 동료가 웃으며 서 있다. 글뤽 아우프! 희돈이 인사한다.

Glückauf, Glückau

위로 올라오는 행운을! 위로 올라오는 행운을!

der Steiger kommt

저기 반장님이 오시네

und er hat sein helles Licht bei der Nacht,

그가 밤처럼 캄캄한 곳에서

und er hat sein helles Licht bei der Nacht schon angezünd't,

그가 밤처럼 캄캄한 곳에서 불을 밝히고 서 있네

schon angezünd't.

불을 밝히고 서 있네

es gibt einen Schein

아, 밝기도 하지

und damit so fahren wir bei der Nacht ins Bergwerk ein.

우리는 그 밝은 빛의 도움으로 밤처럼 캄캄한 곳에서 탄을 캐지

sie graben das feinste Gold—aus Felsenstein.

바위덩어리 사이에서 최고의 금덩어리를 캐내지

동료는 그를 만날 때마다 누가 보든 말든 광부의 노래부터 부르기 시작한다. 조금 어색해하던 희돈도 노래의 중간쯤부터 따라 부른다. 동료는 자신이 광부였다는 사실에 대단한 자긍심을 가지고 있다. 루르 지방의 석탄 산업이 아니었으면 독일의 부흥이 없었고, 그러므로 자신은 산업화의 역군이었음을 만날 때마다 역설한다. 사실 루르 지방에 사는 사람 세 명 중의 한 명꼴로 광부였다. 친척 중에 한 명 정도는 광부였거나 광산에 관련된 일을 했다. 동료는 지금 틈틈이 광산 박물관이 된 예전의 광산에서 자원봉사를 하고 있다. 디스코텍이나 아이들의 놀이터, 음악회장이 된 광산도 요즘 많이 있다.

노래를 마친 둘은 서로의 안부를 간단하게 묻는다. 동료가 자원봉사를 하고 있는 광산 박물관에 한번 초대를 하겠다고 한다. 고맙다고 희돈이 대답한다. 둘은 만났을 때와 똑같이 인사하며 헤어진다.

"글뤽 아우프!"

"글뤽 아우프!"

*

다이어트를 시작한 지 선이는 아흐레째, 희돈은 닷새째가 되는 날이다. 둘은 저녁을 느지막하게 먹고 다시 배드민턴을 치러 나간다. 선이와 내기를 했기에 희돈은 다음 날 저녁에 몸무게를 재야 한다. 삼 킬로그램이 빠져 있어야 한다. 그가 배드민턴 채를 휘두르며 말한다.

"자, 덤벼. 내가 처치해줄 테다!"

"할아버지, 입만 움직이지 말고 몸을 움직여."

선이가 서브를 넣으며 말한다. 그는 서브를 받기 위해 빨리 뛰는 대신 으윽, 아악, 흐윽, 크억 등 누구에겐가 처치당하는 신음만 잔뜩 날린다. 공 맞추는 건 전적으로 운에 맡긴 채 그렇게 단말마적인 비명으로 사람의 기선을 제압한다. 그러다 십 분도 되지 않아 땅바닥에 철퍼덕 주저앉는다.

"아이고 되다, 아이고 되어."

그가 땀범벅인 얼굴로 헉헉거리며 말한다. 물을 마신 다음 도핑용 포도를 먹는다. 선이가 그의 옆에 앉는다.

"선이야, 미샤가 좋으냐?"

포도를 먹고 기운을 조금 회복한 그가 묻는다. 날이 흐리지만 7월 초이기에 조금 뛰었는데도 이마에서 계속 땀이 흘러내린다. 몸속의 노폐물도 함께 빠져나가는 거겠지, 싶어서 그의 기분이 그리 나쁘지만은 않다.

"응, 좀 게으르지만 착하고, 미이도 예뻐하고, 날 많이 좋아하고……."

"미샤의 부모님은 너희가 사귀는 걸 어떻게 생각하냐?"

그는 지금껏 말은 안 했어도 기혼이 떠올라 내내 걱정스러웠다. 지들이 좋아서 함께 살다가 사고가 난 것인데 기혼은 그와 연락을 끊었다. 선이에게 눈길조차 던지지 않았다. 희돈 자신이 아니라 그때의 참혹한 기억의 끈을 끊어버리기 위해 그랬던 것일까?

"미샤 엄마는 내가 가면 무척 반가워해. 내 덕분에 미샤가 요즘 담배도 덜 피우고 아침에도 일찍 일어나 학교에 간다고 말이야. 그게 뭐 내 덕분인가? 미샤가 이제야 철이 든 거지. 열여덟 살이면 그럴 나이도 됐잖아? 미샤 아빠는 무뚝뚝해. 워낙 성격이 그렇대. 하지만 미샤 엄마와 아빠, 둘 다 미이에게 빠졌어. 팔이 아프다면서도 계속 안아줘."

선이는 자신의 엄마도 그랬으리라 생각한다. 네 살이 되었을 때 자신의 손에 파랗고 작은 강아지 인형을 쥐여준 아저씨의 부모님에게 듬뿍 사랑을 받았으리라고. 유치원에서 '세상에서 가장 예쁘고 상냥한 엄마'로 우리 엄마가 뽑히지 않았던가!

"근데 할아버지, 그 아저씨의 부모님은 지금 어디 살아?"

"글쎄다. 나도 잘 모르겠어."

희돈은 딴청을 부린다. 선이의 눈을 피해 먼 하늘을 바라본다. 잠시 옛 생각에 잠긴다.

그는 어린 선이의 손을 잡고 산보 삼아 매일 아내와 딸이 있는 곳에 다녀왔다. 그러던 어느 날 선이가 상현에게서 받은 생일 선물을 잃어버렸다. 잘 때나 놀 때나 밥 먹을 때, 손에 꼭 쥐고 놓지 않던 강아지 인형이었다. 너무 더러운 것 같아 빨아준다고 해도 절대로 건네주지 않았다.

유치원에 갈 때 선이는 분명 그 강아지 인형을 손에 쥐고 있었다. 그런데 유치원을 마치고 단짝 친구의 집에서 놀다가 집에 올 때 손에 없었다. 그걸 알아챈 순간 선이는 헉, 울음을 내지르며 땅에 주저앉았다. 꺼이꺼이, 통곡을 하기 시작했다. 선이의 손 안에 쏘옥 들어가던 강아지 인형처럼 그의 손 안에 쏘옥 들어오는 선이의 작은 손을 잡고 희돈은 인형을 찾아 밤늦도록 동네를 몇 바퀴 돌았다. 하지만 찾을 수가 없었다. 집으로 돌아오자 선이는 제 침대에 꼬꾸라졌다. 작은 몸을 들썩이며 끝없이 흐느꼈다.

"선이야, 어쩌겠냐, 응? 잊어버리자, 응? 할아버지가 내일 똑같은 걸로 사줄게, 응?"

그가 선이를 달랬다. 그러자 선이가 침대에서 벌떡 일어나 눈물과 콧물이 뒤범벅된 얼굴로 절규하듯 소리쳤다. 울먹이는 다섯 살짜리의 발음이 마치 술에 취해 혀가 꼬부라진 사람이 느릿느릿 말하는 것처럼 들렸다.

"안니야! 시더어! 안 대에! 저얼대로 안 대에! 꼭 걔여야 대에! 다른 건 걔가 안니야. 저얼대에 안니야."

그렇게 소리친 선이는 다시 그악스레 울어대기 시작했다.

"무슨 애가 이렇게 고집불통이냐, 응? 어서 그치지 못해? 그치지 않으면 할아버지가 혼내줄 거야!"

안쓰럽지 않은 게 아니었지만 하루 종일 선이 때문에 여기저기 오가느라 지친 그가 목소리를 높였다.

"하다버지, 나, 헉, 헉, 나, 하다버지 조아. 헉, 헉, 하다버지 사당해."

그를 바라보며 있는 힘을 다해 말하던 선이가 갑자기 경기하듯 움찔, 몸을 떨었다. 눈을 하얗게 뒤집으며 침대에 꼬꾸라졌다. 선화의 일도 있고 해서 그는 기겁을 했다. 병원으로 내달리기 위해 선이를 둘러업었다. 다행히 뻣뻣하던 선이의 몸이 곧 부드러워졌다. 기진해 잠이 든 거였다. 그는 선이를 침대에 눕혔다. 그렁그렁 눈물을 매단 채 흐드득, 몸을 떨며 선이가 등을 굽혀 옆으로 돌아누웠다. 그는 따듯한 물수건으로 눈물 콧물 범벅인 얼굴을 닦아주었다. 바짝 마른 멸치 같은 다섯 살짜리의 등을 한참 동안 쓸어주었다. 금방이라도 바스러질 듯한 등으로 세상의 무거운 짐을 어떻게 짊어질까, 잠시 짊어진다 하더라도 금방 주저앉아버리면 그걸 또 어쩌나, 걱정이 끝없이 밀려들었다. 그때 선이가 흐흣, 하고 웃었던가 울었던가. 지하 천 미터 아래에서 탄을 캘 때보다 더 어둡고 힘든 시간이었다.

"기억이 잘 나지 않지만 그 아저씨, 미샤랑 좀 비슷하게 생겼던 것 같아."

선이가 유모차 속에서 낑낑거리는 미이를 안아 올리며 말한다. 그러는 그녀의 등이 어릴 때와 반대로 고스톱을 쳐도 될 만큼 넓고 탄탄해 보인다.

"맞아. 걔, 짬뽕이었어."

"짬뽕? 매운 짬뽕?"

"그게 아니라, 아버지는 한국 사람이고 엄마는 독일 사람이라는 얘기야. 그건 그렇고, 너, 어른에게 잘해야 해. 미샤 아빠가 무뚝뚝하더라도 인사 꼬박꼬박 잘하고. 알았지?"

"당근이지. 쇠는 차갑고 딱딱해. 하지만 냄비가 되면 달라지지. 밥과 국을 끓이느라 뜨거워진다구! 내가 인사만 잘하는 줄 알아? 음식 할 때 거들고 설거지도 해."

잔디에 앉아 둘은 한참 동안 이런저런 이야기를 주고받는다. 날이 어둑어둑해진다.

둘은 자리에서 일어나 천천히 집으로 돌아간다. 희돈은 7월의 밤하늘을 올려다본다. 하루의 일을 마치고 지상으로 올라갔을 때 기혼이나 신심과 같은 친한 친구도 못 알아볼 정도로 검던 광부의 얼굴처럼 보인다. 독일 광부는 큰 눈으로, 한국 광부는 작은 눈으로 눈을 깜빡였듯 밤하늘에 크고 작은 별들이 떠 총총 빛나고 있다. 내일은 날이 좋으려나, 중얼거리며 그는 걷는다. 헤일 수 없이 수많은 밤을…… 내 가슴 도려내는 아픔에 겨워…… 까마득한 세월에 까맣게 잊어버린 줄 알았던 노래 가락이 자신도 모르게 흘러나온다.

다음 날, 희돈은 오십 유로를 생으로 빼앗기기 아까워 아침에 콩나물국에 밥을 말아 먹는 대신 선이처럼 레몬 음료 두 잔을 마신다. 선이가 학교에 가고 미이가 자는 틈을 이용해 조깅을 나간다. 미이가 깨어났을 때 우유를 먹이고 산책 겸 시장에 나간다. 선이가 학교에서 돌아왔을 때에도 물만 조금 마실 뿐 아무것도 먹지 않는다.

몸무게를 재야 하는 저녁 시간이 다가온다. 그는 머리를 조금 자른다. 수염과 손톱을 깎는다. 삐져나온 코털도 뽑는다. 귀지를 판다. 그 김에 코딱지도 판다. 화장실에 들어가 자주 소변을 눈다. 뜨거운 물에 몸을 담근 다음 때를 민다. 그렇게 체중계에 올라가는 시간을 자꾸 뒤로 미룬다. 선이가 더 이상 못 참고 체중계를 들이민다. 러닝셔츠를 벗은 희돈이 갑자기 팬티까지 벗으려고 해 그녀가 깜짝 놀란다. 벗지 않으면 백 그램을 빼줄게, 제안하자 그가 흡족한 미소를 짓는다. 희돈은 체중계 위에 한 발을 올려놓는다. 다른 발도 올려놓는다. 그는 삼 킬로가 아닌 이 킬로그램이 빠졌다. 그가 벌레 씹은 표정으로 선이에게 오십 유로를 건네준다.

해독 다이어트 엿새 만에 패배의 쓴맛을 본 그는 긴장이 풀려 소파에 축 늘어진다. 까무룩 잠이 든다. 살아온 시간이 선이보다 몇 배 많은 만큼 해독할 것이 많아 몹시 피곤한 모양이다. 이십 분쯤 지난다. 그가 식은땀을 흘리며 으으으, 으으으, 신음을 지른다.

"왜 그래? 누가 할아버지 먹는 걸 뺏어?"

선이가 그를 깨운다. 왼쪽 가슴에 손을 얹은 그가 식은땀을 흘리며 깨어난다. 미이를 안은 선이가 그의 머리맡에서 서성거린다.

"선이야, 할아버지 괜찮아. 그냥 좀 피곤해서 그래. 그러니까 걱정하지 말고 네 방에 가서 공부해."

손녀를 안심시키는 그의 목소리가 평소와 달리 작고 가늘다.

"할아버지 없으면 난 끝장이야. 할아버지가 있어도 벅찬데, 없으면 나 혼자 어떡해? 할아버지, 아프기만 해봐. 내가 가만 안 둘 거야, 씨이."

그녀가 그의 식은땀을 닦아주며 반 협박을 한다.

"우리 선이가 무서워서 이 할아버지가 아프지도 못하겠는걸? 흐흐. 선이야, 괜찮아, 나이가 들면 몸이 좀 안 좋아도 나쁜 친구가 하나 생겼구나, 생각하며 그럭저럭 살게 돼. 그리고 요즘 약이 좋아서 죽고 싶어도 못 죽어요! 살기도 힘들지만 죽기도 힘든 세상이라고!"

"괜히 다이어트를 했나? 먹고 싶은데 못 먹어서 병이 난 거 같아. 아니면 오십 유로를 빼앗겨서?"

"흐흐, 그래도 네 덕분에 이 킬로그램이 빠졌어. 독만 이 킬로그램이 빠진 것 같아. 그래서 좀 힘든 거겠지. 널찍해서 편안한 내 몸속에 있다가 추방을 당하니까 독이 얼마나 심술이 났겠냐? 선이야, 자고 나면 거뜬해질 거야. 그러니까 어서 네 방으로 가."

그렇게 말하고 나니 진짜 그런 것 같다. 독이 빠져나가며 자신의 세포 사이사이, 실핏줄 가닥가닥을 건드려 몸이 놀란 것만 같다.

"알았어. 푹 자, 할아버지. 응?"

그녀가 그의 머리카락을 쓰다듬는다.

"응."

그가 말 잘 듣는 아기처럼 대답한다.

"할아버지, 웃어."

억지로 웃어도 진짜 웃는 것과 동일한 효과가 있다고 했다. 얼굴의 근육이 움직이며 뇌에 신호를 보내면 뇌는 진짜 즐거운 일이 있는 것으로 생각하고 엔도르핀을 분비한다고 했다. 그가 웃는다.

"할아버지, 내가 말하는 대로 따라해."

"응."

"나는 괜찮아."

"나는 괜찮아."

"나는 아프지 않을 거야."

"나는 아프지 않을 거야."

"나는 아프면 안 돼."

"나는 아프면 아……."

그가 잠이 든다. 잠든 할아버지를 그녀가 한참 동안 내려다본다. 괜찮을 거야, 한숨 푹 자고 나면 거뜬해질 거야, 중얼거린다.

거의 맞음

강미는 일을 시작한 첫날 선임자에게 〈화장실청소법〉을 배웠다. 집에서 하던 일의 연장이 아니다. 법을 배우고 법 조항을 외우느라 그녀는 오랜만에 뇌를 조금 사용했다.

우선 변기에 물부터 한 번 내려라, 변기에 생긴 소변 얼룩은 망치와 끌로 없애지 말고 소변얼룩제거제를 뿌린 다음 작은 솔로 문질러서 없애라, 소변얼룩제거제는 독하니까 손이나 옷에 묻히지 마라, 오줌을 변기가 아닌 벽에다 누는 사람이 가끔 있고 가래를 변기 안이 아니라 변기 위에다 뱉는 사람이 있는데 그런 사람을 위해 청소부가 필요한 것이니 군소리하지 말고 닦아라, 말 그대로 육체노동이니까 어디에도 없는 테크닉을 찾지 말고 어깨가 쑤시고 허리가 아프더라도 참아라, 우리가 화장실 청소를 한다고 이류가 아니라는 것 또한 명심해라…….

선임자는 원래 회사원이었다. 회사가 문을 닫는 바람에 청소하게 되었고, 청소하는 동안 다른 회사에 취직되었다.

이제 강미가 일한 지 일주일째가 된다. 그동안 그녀는 7층짜리 건물 속, 냄새와 지저분함에서 해방되기를 원하는 여자 화장실에서 3시간 동안 총 28개의 변기와 세면대, 바닥을 닦았다. 휴지를 채워놓은 다음 거울과 손잡이 또한 닦았다. 얼굴에 물을 묻히고, 비누 거품을 내 세수를 하고, 스킨로션을 바르고 크림을 바르는데 5분 정도의 시간이 걸리듯 화장실이라는 공간 하나의 기초화장을 꼼꼼히 해주는 데에 6분 정도의 시간이 할애되었다.

남편 한스가 가끔 물었다. 할 만해? 힘들지 않아? 내가 도울 거 없어? 조금 하다 말겠지, 또는 이제 그만 두었으면 좋겠다는 생각이 그의 물음에 묻어났다. 하지만 이왕 시작한 일, 강미는 다섯 살짜리 딸을 유치원에 보내놓은 오전 9시 30분부터 12시 30분까지 〈화장실청소법〉과 법 조항에 '거의 맞게' 일했다.

강미는 어제와 똑같은 시간에 출근한다. 9시 10분이다. 머리를 질끈 묶고 연녹색의 앞치마를 두른다. 독일인의 체형에 맞게 만들어진 앞치마는 넓고 길다. 딸을 낳은 후 몸이 불었기에 넓이는 그리 문제 되지 않는다. 땅에 끌리지 않게끔 길이만 조절하면 된다. 9시 30분, 그녀는 일을 시작한다. 출근하는 시간, 준비하는 시간은 회사에서 지급해주지 않는다.

강미는 카트에 여러 청소도구와 물비누, 화장지와 두루마리 타월 등을 싣고 1층 여자 화장실로 향한다. 해가 뜨지 않았지만 7월이라 건물 속이 후덥지근하다. 하지만 그 건물도 대부분의 다른 건물들처럼 에어컨 시설이 되어있지 않다. 합쳐봤자 독일에 더운 날이 일 년에 며칠 안 되기 때문이다. 몇 발자국 걷지도 않았는데 연녹색의 앞치마를 두른 그녀의 얼굴이 파래김밥 속에 든 홍당무처럼 벌게진다.

화장실 문을 연다. 씹어 삼키는 모든 것의 귀결, 그것의 일부가 변기에 묻어 있다. 고기와 치즈, 소시지가 주식인 독일인의 그것이 한여름 열기에 지독한 냄새를 풍기고 있다. 한 층에 4개인 화장실을 20명 정도의 여자들이 사용하는데 그런 일이 종종 목격된다. 아니, 변의 상태를 매일 체크 받던 왕비도 아니고, 몇 살인데 이것이, 내 참 더러워서, 투덜거리며 강미가 화장실 문을 쳐다본다. 변기에 앉아 정면으로 볼 수 있게끔 그녀가 며칠 전에 인터넷에서 찾아, 여러 장 복사해, 화장실 문마다 붙여놓은 그림이 그대로 붙어 있다.

마마 호텔에서 살다가 처음으로 공동생활을 하게 된 대학생들이 볼 수 있게끔 기숙사의 화장실 문에다 붙여놓는 그림이다. 네 개의 단어가 합쳐져 총 35개의 알파벳으로 하나의 단어가 된 독일어의 합성어가 제목으로 쓰여 있다. 〈Toilettenbürstenbenutzungs-anweisung(변기솔 사용법)〉 유학을 와 처음으로 그 그림을 보았을 때 강미는 웃었다. 그때는 자신이 앞으로 청소 아르바이트를 하며 같은 그림 앞에 서 있게 되리라고는 꿈에도 생각하지 못했다.

성질 같아서는 하루 종일 화장실 앞에 붙어 서서 범인을 색출해 내고 싶었지만 첫 직장에서 초짜가 시끄럽게 굴어 신상에 이로울 게 없다는 생각에 성질을 죽인다.

강미는 우선 물을 한 번 내린 다음 변기용 솔을 들고 한참 단백질 분해 중인 그것을 닦는다. 다시 물을 내린다. 며칠 굶주려 눈에 뵈는 게 없는 짐승처럼 변기가 꾸르륵 꾸르륵 소리를 내며 내용물을 삼킨다. 감사의 표시인 양 말간 물을 곧 올려보낸다. 씹지 않고 삼킨 것을 소화해 내기 위해 대량으로 분비한 위액처럼 보이기도 한다.

세정제를 넣고 변기를 다시 닦으며 그녀는 그림을 쳐다본다. 정작 보고, 깨닫고, 실천에 옮겨야 할 사회 초년생이 아니라 그것을 붙여놓은 사람이 복습하듯 쳐다본다. '거의 맞음'에 눈길이 머무르자 문득 삼촌이 떠오른다. '틀림'에 눈길이 가자 엄마 생각이 난다. 강미는 다시 '거의 맞음'으로 눈길을 돌린다. 그래, 엄마와 달리 삼촌과는 거의 맞게 잘 지냈지, 속으로 생각한다.

그녀는 변기 하나를 닦는데 1분 30초를 사용한다. 2시간 58분 30초 후에 청소를 마칠 것이다. 대충 점심을 먹은 다음 삼촌을 데리러 공항에 나갈 것이다.

*

공항에서 신심은 금방 강미의 눈에 띈다. 노란 콩에 잘못 섞인 까만 콩처럼 머리가 까맣기 때문이다. 무릎이 튀어나온 면바지가 유난히 후줄근하다.

"우리 강미, 여전하구나. 여전히 예뻐."

그가 잇몸을 드러내며 활짝 웃는다. 그는 강미를 1년 전에, 그러니까 아내가 하느님의 품으로 돌아갔을 때 한국에서 만났다.

"여전하긴. 살이 쪄서 뼈가 만져지지 않는데……."

강미가 주차장으로 향하며 시큰둥하게 대꾸한다. 활짝 웃는 그의 입속에서 옆으로 누운 이를 보았기 때문이다. 작년에 엄마가 돌아가시고 난 후 그의 어금니 하나가 빠졌는데 곧 메운다고 하더니 메우지 않아 빠진 이의 옆의 이가 옆으로 누워버렸다. 이도 주인을 닮아 피곤한 것일까, 싶다가 엄마가 있었으면 저렇지 않았을 텐데, 싶어 강미는 마음이 언짢다.

"독일은 여전해. 조용하고, 깨끗하고, 한여름에 쌀쌀하고. 내가 피서 한번 잘 왔구나."

주차장으로 가는 길에 비가 흩뿌리자 신심이 말한다. 강미가 아무 말 않자 그도 아무 말 않는다. 집에 도착한다. 카티와 한스가 현관으로 나온다.

"아, 우리 사위! 한스라는 이름처럼 순하게도 생겼지."

"쟝인어런, 화녕하미다. 쟐 오셔스미다."

강미가 가르쳐준 대로 한스가 한국말로 인사한다. 삼촌이라 부르지만, 사실은 강미를 키워준 아버지 같은 존재라는 것을 그도 안다.

"그래 한스야, 고맙다. 강미 데리고 사느라 네가 고생이 많다."

"말을 해도 참…… 누가 누구를 데리고 산다고 그래? 하긴, 내가 한스를 데리고 사는 것보다 한스가 날 데리고 사는 게 더 고생스럽긴 하겠다."

강미가 웃지 않고 한마디 한다.

"엄마, 저제 뭐야? 저제 하버지야?"

한스의 손을 잡고 있던 카티가 신심에게 눈동자를 고정한다. 아빠보다는 낫지만 역시 서툰 한국말로 강미에게 묻는다.

"하하하, 이거? 할아버지 맞지! 아이고 우리 손녀, 보통 예쁜 게 아니네. 사진보다 훨씬 예뻐. 어디, 할아버지가 한번 안아볼까?"

신심은 ㄱ을 ㅈ으로 발음하는 카티의 말을 금방 알아듣고 대꾸한다.

"자지, 나, 몽말라."

강미가 한스를 자기라고 부르니까 카티도 따라 했다. ㄱ을 ㅈ으로 발음하는 게 문제였다. 한국 손님이 올 때마다 강미는 카티에게 파파라고 부르라고 했지만 그럴수록 카티는 고집스레 한스를 자기라고 불렀다. 자신의 발음에 한국 사람들이 와하하하 웃음을 터트리는 게 재미있나 보았다. 굳이 부르지 않아도 될 상황에서도 카티는 제 아빠를 크게 자기라고 불렀다.

"와하하하…… 카티야, 자기, 다시 해봐."

신심은 사실 카티를 사진으로 보았을 때 낯설었다. 옛날에 광산에서 함께 일하던 기혼이 울라와 결혼해 상현을 낳았을 때처럼. 한국인도 아니고 독일인도 아닌 애매한 모습에 혹시 정이 가지 않으면 어쩌나 걱정이 되었다. 하지만 기우였다. 그는 카티에게 첫눈에 반했다.

"자지."

"아니, 자~기"

"자~지"

"와하하하. 우리 카티 최고! 할아버지 피로가 확 풀리네."

*

신심은 새벽잠이 없는데다 시차까지 겹쳐 새벽 3시에 깬다. 익숙하지 않은 침대 때문인 것 같기도 하다. 한국 시각으로 지금 아침 10시, 예전에는 한참 강의를 할 시간이었고, 정년이 된 후 아내를 보내고 나서는 산에 다녀오거나 아내가 묻혀 있는 곳을 다녀온 다음 아침을 먹는 시간이었다.

이렇게 누우면 좀 나으려나, 싶어 그는 몸을 이리저리 뒤척이며 독일로 출발하기 전날을 떠올린다. 그는 그날 아내에게 다녀왔다. 암이 갉아먹고 남은 아내의 육신은 한 줌의 회색빛 가루가 되어 지금 야외에 설치된 부부형 봉안담 7층에 올려져 있었다. 여보, 생각보다 집이 빨리 팔려서 작은 오피스텔로 이사했어. 많이 속상해. 그리고 당신에게 미안해. 구석구석 당신의 손길이 닿지 않은 데가 없는 집이었는데…… 그는 담배에 불을 붙여 아내의 사진 앞에 놓으며 말했다. 아이 키우고, 살림하고, 치매에 걸린 시어머니 모시느라 힘든 아내의 유일한 낙은 몰래 담배 한 개비를 피우는 것이었다.

우리, 참 묘한 인연이었어, 그지? 그는 아내를 향해 중얼거렸다. 한국에서 대학을 졸업하고 취직을 하려는 그에게 당시 해외개발공사에서 일하던 친척 중의 한 아저씨가 요즘 독일에 광부로 서로 가겠다고 난리인데 너도 한번 가보지 그러냐고 말씀하셨다. 그는 아저씨의 도움으로 운 좋게 독일에 와 3년 동안 광부로 일한 다음 힘들게 석사를 마쳤다. 그러는 동안 한 번도 빠지지 않고 성당에 나갔다.

공부를 마친 그는 한국으로 돌아가기 위해 공항으로 갔다. 그 당시에는 석사만 마쳐도 대학에서 자리를 얻을 수 있었다.

그는 공항에서 우연히 어느 광산에서 통역으로 일하고 있는 한국 남자를 만났다. 그때 그 통역에게서 강미의 아버지, 유영식의 유해가 담긴 상자와 노란색의 책가방, 그리고 유영식의 아내 전화번호와 주소가 적힌 쪽지를 넘겨받았다. 그때만 해도 비행기를 타고 한국으로 들어가는 사람이 귀해 통역은 무턱대고 공항으로 나와 적당한 사람을 찾고 있던 터였다.

비행기를 기다리는 동안 신심은 통역에게서 유영식에 관한 이야기를 들었다. 유영식은 광부로 일하는 내내 식사 때가 되면 바지 뒷주머니에 숟가락을 꽂고 다른 기숙사 방을 기웃거리며 한 술씩 얻어먹었다. 과외 시간에는 야채 가게에서 아르바이트를 했고, 그렇게 모은 돈으로 한국에 집을 한 채 샀다. 그의 아내에게 작은 양품점을 열어주기도 했다. 그런데 한국에 들어가기 얼마 전에 막장의 천장이 무너져 압사했다.

통역의 부탁대로 신심은 꽃샘추위가 기승을 떨던 어느 날 유영식의 아내를 만났다. 얼마나 울었는지 그녀는 눈을 제대로 뜨지도 못하는 상태였다. 그녀는 남편의 유해가 담긴 상자와 책가방을 넘겨받았다. 곧 초등학교에 들어갈 강미에게 주려고 유영식이 45마르크나 주고 산 독일제 최신형 책가방이었다. 입학식 즈음에 피어날 고국의 개나리처럼 노란색의 책가방이었다. 더 나올 것도 없을 것 같은 눈물이 주르륵, 그녀의 뺨을 타고 흘러내렸다.

"얼마 전에 꿈을 꾸었어요. 꿈속에서 신발을 잃어버렸지요. 아무리 찾아봐도 없어서 난감해하고 있는데 어디선가 남편이 나타났어요. 걱정하지 마, 라고 말하며 절 업어주더군요. 따듯하고 부드러운 남편의 등에 업혀서 아래를 내려다보았어요. 까마득한 절벽 위에 제 맨발이 달랑거리고 있었어요. 그 꿈을 꾸고 난 다음 날 국제전화를 받았지요."

혹시라도 그녀가 왜 이런 모습으로 돌아왔어요, 그 어렵고 고통스러운 일을 이제야 마쳤는데 이게 무슨 날벼락이에요, 울부짖을까 봐 걱정하던 신심에게 그녀가 코맹맹이이긴 하지만 차분한 목소리로 말했다.

그는 그녀의 만류에도 불구하고 버스를 타고 그녀의 집까지 동행했다. 어쩐지 그래야 할 것 같았다. 그녀가 불안해 보여 마음이 놓이지 않았다. 그녀는 유영식이 독일로 떠나기 전에 함께 장을 보았던 시장을 돌았다. 장을 본 걸 남편과 함께 양손에 나눠 들고 낑낑거리며 걷던 골목을 지났다. 아이들이 재잘거리는 놀이터를 지나 천천히 집으로 들어갔다. 여보, 그동안 많이 궁금했지요? 강미와 나, 이렇게 살고 있어요. 잘살고 있지요? 이게 다 당신 덕분이에요, 중얼거리며 그녀가 남편에게 집 구경을 시켜주었다.

다음 날 신심은 만사를 제쳐놓고 강미네 집으로 갔다. 강미가 레이스가 달린 검은 원피스를 입고 있었다. 일부러 그렇게 입힌 듯 조그만 어깨에 새침한 표정을 짓고 있는 강미가 그렇게 예뻐 보일 수가 없었다. 검은 상복을 입은 젊은 미망인, 유영식의 아내도 얼굴의 부기가 아직 빠지지 않았지만 강미 못지않게 예뻐 보였다.

유영식의 아내와 강미, 신심과 신부님이 유영식의 유해가 담긴 상자를 강으로 가져갔다. 하느님, 남편의 영혼을 천국으로 인도하시고, 세상 짐 내려놓고 안식할 수 있도록 도와주십시오. 그녀가 간단하게 기도하며 유영식을 강의 품으로, 하느님의 품으로 떠나보냈다.

"당신, 잘 가요. 내가 강미 잘 키울 테니까 걱정하지 말아요. 그동안 당신, 고마웠어요. 지금까지 수고했으니까 하느님의 품에서 편안하게 쉬어요. 마지막 순간에 당신의 손을 잡아주지 못해서 참 안타까워요. 당신, 잘 가요……."

강을 따라 흐르는 유영식을 바라보며 그녀가 영영 이별을 고했다. 엄마를 바라보며 강미가 앙다문 입을 삐죽거리며 눈물을 훔쳤다.

모든 절차를 마치고도 한참 더 강가에 있다가 신부님이 먼저 자리를 뜨고, 세 사람은 유영식의 집으로 돌아왔다. 유영식의 아내가 집으로 돌아가라고 하는데도 신심은 차마 그럴 수가 없었다. 함께 따라가 그녀의 곁에서 내내 지켜보았다. 그녀는 그때껏 덮던 이불의 네 귀를 딱딱 맞추어 개기 시작했다. 방과 부엌에 물걸레질한 다음 사물과 사진 정리를 꼼꼼하게 했다.

"저, 정신이 나가서 이러는 게 아니에요. 오히려 마음이 차분해져서 그래요. 어려운 일이 아직 많이 남아 있으니까 정신을 똑바로 차려야지요. 이제 시작이에요."

안 그래도 그는 이 여자가 너무 기가 막혀서 정신이 나갔나 보다, 생각하던 참이었다. 그는 아무 말 없이 고개를 끄덕였다. 신체 건강하고 씩씩한 독일 여자와는 또 다른, 연약함과 애처로움의 한가운데 자리 잡고 있는 그녀의 강인함이 노총각인 그에게 매력으로 다가왔다. 그녀의 뽀얀 피부와 서글서글한 눈매에 내가 이래도 되나, 싶을 정도로 끌린 게 사실이었다.

어느 정도 집 안 정리를 마친 그녀가 멍하니 앉아 달력을 바라보았다. 그도 함께 바라보았다. 강미가 빨간색 크레용으로 그려놓은 하트가 보였다. 유영식이 귀국하여 김포공항에 도착하는 날이었다. 그녀는 아무 말 하지 않았다. 하지만 자신의 옆에 누군가가 있다는 사실에 위안을 받는 듯했다.

그날 이후 그는 그녀의 집에 하루에도 몇 번씩 전화를 걸어 안부를 물었다. 신발을 잃어버렸는데 이제 업어줄 남편이 없는 유영식의 아내에게, 그리고 강미에게 그는 자꾸 마음이 쓰였다. 그는 강미의 입학식에도 참석했다. 제 등보다 크고 넓은 노란색 책가방을 짊어진 강미를 노란 개나리가 만발한 곳에 세워두고 사진을 찍어주었다.

그와 유영식의 아내는 일요일마다 성당에서 만났다. 2년 뒤, 강미가 3학년이 되던 해에 둘은 주위의 이런저런 만류와 회유를 뿌리치고 결혼했다.

여보, 나, 내일 강미네 집에 가. 자식 하나 있는 게 멀리 살고 말이야, 도움이 안 되네. 당분간 내가 오지 않는다고 섭섭해하지 마, 알았지? 왜긴…… 적적해서 가는 거지…… 강미에게 안부 전할게. 오는 길에 독일 담배 한 보루도 사오고 말이야. 아참, 나, 어제 염색했어. 어때, 청년 같지? 아내가 사진 속에서 웃으며 담배 한 대를 맛있게 피우는 동안 신심은 두 번 정도 재를 털어주며 중얼거렸다.

침대가 여전히 편하지 않다. 그는 다시 한 번 몸을 뒤척거린다.

침대가 조금 삐꺽한다. 어제저녁의 일을 떠올린다. 하루하루의 삶이란 다름 아닌, 삐꺽거리는 침대에 익숙해지기 위해 몸을 뒤척이는 일인 듯하다.

그는 어제 독일식으로 저녁을 먹었다. 독일식 저녁이란 다름 아닌, 시꺼먼 빵 위에다 햄과 치즈를 얹어 먹는 것이다.

"오랜만에 한국 음식을 하려니까 간장과 고추장이 없었어. 그걸 사려면 한국식품점에 가야 하는데 그럴 시간이 없었고 말이야. 아니, 내일 일하는데 몸에 한국 음식 냄새가 배면 안 될 거 같아서…… 삼촌, 한 달 후면 한국 음식을 다시 지긋지긋하게 먹을 테니 오늘은 독일식 저녁으로 호강 좀 해, 응?"

강미가 조금 미안해하며 말했다.

"독일 빵에 곡식과 견과가 많이 들어있어서 건강에 참 좋지. 안 그래도 먹고 싶었는데 잘 됐다. 씹는 맛도 있고 구수하니 참 좋다. 햄도 치즈도 고소하고 말이야. 아닌 게 아니라 딸 덕분에 내가 오늘 호강을 하네."

그가 곡식과 견과가 많이 들어간 빵을 부실한 이빨로 꼭꼭 씹으며 대꾸했다. 대꾸는 그렇게 했지만 사실 그는 빵이 잘 넘어가지 않았다. 익숙하지 않은 침대에 몸을 적응시키느라 자꾸 뒤척거리듯 빵을 삼키기 위해 물을 많이 마셔야 했다.

그는 일어난다. 아침으로 칼칼한 국을 먹고 싶다. 가방을 연다. 챙겨온 고춧가루를 꺼낸다. 부엌으로 간다.

강미는 아래층에서 삼촌이 슬리퍼를 끌고 여기저기 오가는 소리를 듣는다. 하지만 일어나기가 싫다. 배고프면 알아서 챙겨 먹겠지, 생각하며 다시 잠이 든다. 그러다 한스가 연거푸 재채기를 해대는 통에 잠에서 깬다. 마늘과 고춧가루를 기름에 달달 볶는 냄새가 그녀의 침샘을 자극한다. 하지만 한스는 계속 재채기를 해댄다. 아래층에서 삼촌의 애창곡 노랫소리가 들려온다.

"술 마시고 노래하고 춤을 춰 봐도 가슴에는 하나 가득 슬픔뿐이네. 무엇을 할 것인가 둘러보아도 보이는 건 모두가 돌아앉았네……."

어수선한 분위기에 카티가 일찍 깨 칭얼거리며 강미의 방에 들어온다. 4시 30분이다. 한스가 카티를 달래고 강미는 일어나 식탁을 차린다. 카티는 켈로그, 한스는 오븐에 구운 브뢰첸, 삼촌은 칼칼한 국을 앞에 놓는다. 강미는 잠시 망설이다가 숟가락을 가져와 국을 떠먹는다.

"왜 이렇게 맛있는 거야? 일하러 가야 하는데, 어쩌지?"

맛있다는 표현을 난 어쩜 이렇게 재수 없게 하는 것일까, 생각하며 그녀는 열심히 국을 떠먹는다. 신심 또한 그녀에게 질세라 허겁지겁 떠먹는다. 빵을 다 먹은 한스가 슬쩍 넘겨다본다. 냄새는 싫지만, 맛은 괜찮은 발효 치즈를 강미가 먹는 것처럼 한스가 한 숟가락 두 숟가락 국을 떠먹는다. 예전에 멸치를 볶아놓으면 한스는 수많은 눈동자가 자신을 빤히 쳐다보고 있는 것 같아 너무나 부담스럽다며 먹지를 못했다. 하지만 이제는 한 마리 두 마리 젓가락으로 집어 아삭아삭 맛있게 씹어 먹는다. 우리 한스가 이제 한국 사람이 다 됐구나, 신심이 흡족해하며 말한다.

먹고 치우니 5시 30분이다. 습관이 안 된 강미네 식구는 거실 소파에 앉아서 시간을 죽인다. 깜빡 잠이 든다. 그러다 소스라치게 놀라서 깬다. 한바탕 난리법석을 치른 후에 집에서 나간다. 그때 신심이 들어온다. 그사이 동네 한 바퀴를 돌았나 보다. 길을 잃지 않으려고 자주 뒤를 돌아보았지, 그가 말한다.

신심을 본 카티가 유치원에 안 가겠다고 한다. 여느 날 같으면 늦을까 봐 조바심치며 빨리 가자고 제 아빠를 닦달했을 터이다.

"자지, 나, 메우 베 아파. 집애 있을레."

카티가 신심에게 눈길을 둔 채 제 아빠에게 한국말을 한다. 할아버지가 마음에 든 모양이다.

"카티야, 그럼, 할아버지 말 잘 듣고 있어야 해, 알았지?"

유치원에 데려다 주고 또 데려오기 귀찮은데 잘 됐다 싶어 강미는 남편을 따라나서며 딸에게 당부한다.

*

강미는 청소용 카트에 이것저것 담은 다음 엘리베이터 앞에 선다. 아침에 따뜻한 것을 먹어서 그런지 배가 든든하다. 하지만 냄새 때문에 조금 걱정이다. 안 먹는 사람은 금방 냄새를 맡기 때문이다. 엘리베이터에 지금 누가 함께 탄다면 그녀는 미안한 마음에 숨을 참을 것이다. 함께 탄 사람은 냄새가 싫어 숨을 참을 것이다.

그러다 모두 질식사할지도 모른다.

띵, 소리와 함께 문이 열리는 엘리베이터에 올라타려는데 누군가 뒤에서 부랴부랴 다가온다. 뒤돌아보니 모리츠다. 원수는 외나무다리에서 만난다더니, 감자맛이다. 강미는 속으로 외친다. 필승!

밥맛이 떨어진다는 말이 짧아져 밥맛이 되었다. 사람이 밥을 먹어야 사는데 밥맛이 떨어지면 죽을 수도 있지 않나. 밥맛이 떨어지게 해 누군가를 죽을 수도 있게 만드는 사람, 얼마나 재수 없나. 그런 의미로 강미는 모리츠에게 감자맛이라는 별명을 붙여주었다. 독일에서는 밥이 아닌 감자가 주식이니까.

대학에서 4명이 그룹학습을 할 때 그는 그녀를 어떻게든 안 끼워주려고 했다. 그녀가 끼면 공부의 진도가 느려질 게 뻔하기 때문이었다. 방황 끝에 늦게 공부를 시작했어, 부모님의 속을 엄청 썩였지, 어떻게든 빨리 공부를 끝내고 취직을 해야 해, 라고 말하며 그가 언제나 그녀에게 눈치를 주었다. 그녀의 독일어 발음을 트집 잡기도, 비아냥거리기도 했다.

그런 그와 그녀가 말이 안 통하는 듯 통했던 건 그룹학습을 하는 다른 아이들보다 나이가 많았기 때문이었다. 특히 영화에 관한 이야기는 둘 다 끝없이 했다.

둘은 술기운을 핑계로 딱 한 번 밤을 함께 보낸 적이 있다. 섹스는 하지 않았다. 강미는 피임약을 먹고 있지 않았고 모리츠에게는 그날 콘돔이 없었다. 잠이 들기 전에 둘이 짧게 키스만 한 번 했을 뿐이다. 우연하게 서로의 아버지가 광부였다는 사실을 확인한 날이었다. 통하지 않는 듯 통한 게 나이 때문만은 아니었다.

밤을 보낸 다음 날 아침, 강미는 주섬주섬 자신의 물건을 챙기다가 모리츠를 쳐다보았다. 침대에 누워 그가 그녀를 바라보고 있었다. 그의 눈은 파랗고, 둥그렇고, 깊게 쌍꺼풀져 있었다. 갈게, 그녀가 말하자 응, 그가 쓸쓸한 눈빛으로 대답했다. 그게 전부였다. 이후 둘은 예전과 똑같이 서로를 대했다.

그러던 그를 강미는 얼마 전에 우연히 만났다. 그는 공부를 마치고 용역회사에 취직한 상태였고 그녀는 마침 아르바이트를 찾고 있었다. 옛정 같지 않은 옛정으로 그가 그녀에게 화장실 청소를 맡겼다. 결혼하고 아이 키우느라 특별한 자격증이 없던 그녀가 할 수 있는 일은 바로 화장실 청소였다.

엘리베이터 앞에 서 있는 강미를 보는 순간 모리츠가 멈칫한다. 곧 아무렇지도 않게 할로, 인사를 하며 6층 버튼을 누른다. 이빨을 괜히 닦고 왔어, 생각하며 그녀는 그가 서 있는 쪽을 향해 입 큰 개구리처럼 입을 크게 벌린다. 할로, 인사한다. 엘리베이터 문이 닫힌다. 강미가 다시 입을 크게 벌려 묻는다.

"여긴 어쩐 일이야?"

"네가 알아서 뭐 하려고?"

"아, 그렇지."

"회사일 때문에 왔어."

"아, 그렇겠다. 그래, 이렇게 만나기도 쉽지 않은데 내가 6층까지 함께 올라가 줄게."

강미는 6층으로 올라가는 동안 숨을 참지 않는다. 아이 낳기 전에 연습한 것처럼 흠, 하, 흠, 하, 그를 향해 코로 숨을 들이쉬고 입으로 길게 내쉰다. 숨을 참는지 그의 얼굴이 점점 붉어진다. 지금 엘리베이터가 고장이 나고, 때를 맞춘 듯 알람 시스템 작동이 안 된다면, 그렇게 둘이 이 속에 한참 동안 갇힌다면 산소 부족으로 그나 나나 씩, 씩, 씩, 씩, 숨이 거칠어지겠지? 그날 밤, 안 그런 척 한참 동안 거칠게 호흡을 하다가 잠이 들었듯이. 그날 밤 일이 떠오르자 그녀의 얼굴이 조금 붉어진다.

띵, 소리와 함께 엘리베이터 문이 열린다. 갈게. 응. 둘은 짧게 인사를 나눈다. 함께 밤을 보내고 난 아침처럼. 그의 눈은 여전히 파랗고, 둥그렇고, 깊게 쌍꺼풀져 있다.

강미는 청소를 마친다. 28개의 화장실에서 모은 쓰레기를 커다랗고 파란 봉지 두 개에다 꾹꾹 눌러 담는다. 양어깨에 짊어진다. 휴지와 생리대, 과자 봉지와 담뱃갑 등으로 꽉 찬 쓰레기 봉지의 무게가 만만치 않다. 쓰레기를 선물하는 심술쟁이 산타라도 된 듯 그녀는 인상을 지은 채 건물 앞에 놓인 커다란 쓰레기통으로 다가간다.

마흔 중반쯤 되어 보이는 아주머니가 땅바닥에 끌릴 정도로 혀를 축 늘어뜨린 채 쓰레기를 버리고 있다. 강미처럼 화장실 청소를 하는 사람이다. 아주머니는 평소에 강미가 출근할 무렵 남자 화장실의 청소를 마치고 퇴근했는데 오늘은 청소가 늦어졌나 보다.

"구텐 탁!"

"구텐 탁!"

둘은 지쳐 갈라진 목소리로 인사를 나눈다.

"어휴. 씻고 또 씻었는데 아직 손에서 냄새가 나네."

아주머니가 코에다 손을 대고 킁킁 냄새를 맡는다.

"저도 아까 변기에 묻은 똥을 닦았는데……."

늘 하던 일인데 오늘따라 웬 유별이람, 생각하면서도 강미는 혹시 자기에게서도 냄새가 나지 않나 싶어 코에다 손을 가져간다.

"오늘 화장실에 들어갔는데 완전 개판이었어요."

"저도 오늘 화장실 중 하나에서 콘돔이 버려진 걸 보았는데……."

"내가 20년 동안 화장실 청소를 했어요. 코딱지를 파서 벽에 점점이 붙여놓는 놈들도 있고 별의 별놈이 다 있지만 그 정도는 귀엽게 봐주지요. 하지만 아까처럼 바닥은 물론 문의 손잡이와 변기 위, 또 물을 내리는 부분 등 화장실 전체에 똥을 묻혀놓으면 정말 구역질이 나서 죽어버리고 싶어요."

"네? 화장실 전체에다 똥칠을요?"

"일 년에 한두 번 그런 경우가 있어요. 일부러 그러는 건 아니겠죠. 일부러 그렇게 하라고 해도 못 할 테니까. 인공항문을 단 사람이 그러는 걸 거예요. 그런 사람들은 원래 물휴지 몇 통과 여벌의 옷 등을 준비해 다니는데, 아까의 경우는 깜빡한 거겠죠."

"아, 인공항문…… 그렇겠네요."

"안됐다는 생각이 들면서도 나도 사람이라 욕부터 나오지요.

하지만 참아야지 어쩌겠어요. 내 아들도 다른 데 가서 본의 아니게 욕을 먹을 수 있는 일이니까. 휴우~."

"네……."

흥분한 아주머니가 계속 말한다.

"하여간 오늘, 일을 조금 늦게 시작하기도 했지만 그 화장실 때문에 시간이 지체돼 이제야 일이 끝났어요. 참, 아침에 모리츠라는 용역회사 직원을 만났는데……."

"저도 만났어요. 잘 아는 사람인가요?"

"잘은 몰라요. 하지만 무뚝뚝한 인상과 달리 참 괜찮은 사람이에요. 인사도 깍듯하게 잘하고, 가끔 과자를 가져다가 우리에게 나눠주기도 하고요. 그의 엄마가 이곳의 청소부였대요. 오래도록 청소부로 일하면서 아들 둘의 공부를 시켰다고 엄마를 아주 자랑스러워하지요. 회사일 때문이기도 하지만 엄마와 친했던 사람이 아직 이곳에 몇 있어서 인사차 가끔 오고는 해요."

"아, 그래요? 그 사람, 난 안 좋게 생각했는데……."

강미는 어제 한스가 격분해서 들려준 이야기를 떠올리며 대꾸한다. 파김치가 된 그녀가 침대에 쓰러져 6분 안에 해야 하는 일에 관해 이야기하자 그가 재차 이야기를 줄줄이 늘어놓았다. 다름 아닌, 그녀가 다른 일을 찾기를 종용하는 이야기들이었다.

청소부의 90~95퍼센트가 여자야, 예전에 30명 정도가 정식 직원으로 일하던 곳을 요즘은 10명 정도의 여자가 미니잡으로 400유로를 받으며 일하지, 병원에서도 그렇대, 예전에는 정식으로 고용된 2명의 청소부가 일하던 곳을 이제는 1명이 일하는 바람에 3~5분 안에 병실과 샤워실과 세면대와 변기를 '깨끗이' 치워야 한대, 그 안에 마치지 못하면 따로 시간을 내서 치워야 한다더군, 정권이 바뀌고 법이 바뀌면서 기업이나 병원 등에서 용역회사를 따로 만들어 자체 내의 인사부를 그 용역회사에 넘겼기 때문이래, 그렇게 하면 고용비와 경비를 절감할 수 있으니까 이익이 높아지고 18퍼센트의 세금을 덜 낸다고 하더군, 예전에 18유로 정도를 받고 일하던 사람들이 그런 용역회사가 들어서면서 임금이 7유로 정도로 떨어졌대, 사실은 시간 대비 7유로도 안 되지, 그런데도 청소부들은 저항하지 않는대, 왜냐면 언제라도 잘릴 수 있는 미니잡이라 겁을 먹기 때문이지, 이 얼마나 불공평한 세상이야? 얼마나 더러운 정치고 법이냐고? 화장실의 더러움이야 닦아낼 수라도 있지!

"그는 그냥 용역회사의 직원일 뿐이에요. 위에서 시키는 대로 해야 하지요. 그래야 월급을 받고 가족을 먹여 살릴 수 있으니까. 가장이란 워낙 그런 거니까."

"아, 그게 또 그렇군요……."

"우리, 작년에 신이 났었어요. 청결을 위한 우리, 라고 크게 외쳤지요. 데모 겸 청소올림픽을 거행했거든요. 변기솔 멀리 던지기 게임과 양동이에 물 가장 먼저 담아오기 게임 등을 하며 얼마나 웃었던지! 아주 즐거웠어요. 덕분에 임금이 4.9퍼센트 올라갔지요. 사실 우리는 8.7퍼센트의 인상을 원했지만 말이에요."

강미도 작년 언젠가 텔레비전에서 청소올림픽에 대해 방송을 하는 걸 보았다. 어떤 틴에이저 맘이 부모의 싸늘한 눈길을 이겨내지 못하고 아이를 데리고 집에서 나와 오랜 기간 청소 일을 하다가 우여곡절 끝에 사민당의 지역구 정치인이 되었는데, 언변이 좋고 정의감이 강한 그녀가 그 청소올림픽을 총체적으로 진두지휘하고 있었다. 그때 그녀는 임금을 8.7퍼센트 올려달라고 했고, 고용주들은 이 세계적인 불황기에 무슨, 하며 들은 척도 하지 않았다. 한 시간에 8유로 정도인 임금의 8.7퍼센트는 70센트 정도였다. 그러다 방송을 탄 데모 겸 청소올림픽 행사가 시청자의 좋은 반응을 얻어 다행스럽게도 4.9퍼센트로 타협이 되었다.

"이후로 우리, 얼마나 자신감이 생겼는지! 하지만 힘든 건 여전하지요. 계단 청소를 하다가 굴러떨어지는 등 생각보다 부상이 많고, 매일 화학제품을 다뤄 건강이 나빠지기도 해요. 어떤 할머니 청소부는 심장약 살 돈을 아끼느라 하루에 한 알 먹던 것을 반 알로 줄이기도 했지요. 그만큼 우리의 근무조건은 아직 열악해요."

맞아요, 담배 한 대를 피우다가 잘린 사람이 있다는 소리도 들었어요. 일할 시간에 딴청을 부린다는 이유로요, 강미가 맞장구를 친다. 치사하게 변기용 솔을 훔쳐가기도 하지요, 그럼 청소부가 사다 놓아야 해요, 그뿐인 줄 아세요? 어떤 예쁜 여자는 화장실에 지갑을 두고 갔다고, 그러니까 빨리 내놓으라고 하기도 해요. 그런 사람은 나중에 다른 곳에서 지갑이 발견돼도 사과하지 않죠, 아주머니가 홍분한 얼굴로 덧붙인다.

"근데 원래 청소는 새벽에 시작해서 사람들이 출근하기 전에 마쳐놓거나, 사람들이 퇴근한 후에 시작해 밤에 마치는데 당신은 무슨 빽으로 그 시간에 청소하나요?"

"아, 그런가요? 아, 그렇군요! 그게 그러니까, 아이 때문에……."

담당자의 권한으로 매일 오전에 3시간씩 일하게끔 편의를 봐주는 거야, 면접을 보던 날 모리츠가 말한 걸 떠올리며 강미가 대답한다.

아, 아이 때문에, 중얼거리던 아주머니가 강미에게 묻는다. 며칠 후에 모임이 있는데 나오지 않겠느냐고. 일 년에 두 번 있는 동료 청소부들의 모임인데 그녀를 끼워주겠다고 한다. 모임에 관한 이야기를 꺼내자 지금까지의 피곤이 사라지는지 그녀의 얼굴에 생기가 돈다.

"만나는 사람 중에는 나이 든 할머니도 있어요. 그날은 모두 집에서 가장 좋은 옷으로 골라 입고 나오지요. 남들이 부러운 눈으로 쳐다보는 걸 느끼면서 우리는 좋은 음식을 시켜서 먹고 맥주를 마셔요. 시간 가는 줄 모르고 이야기를 나누지요. 우리에게 반드시 필요한 시간이에요. 우리가 만족스러우면 모두가 만족스러우니까! 우리가 만족을 느끼지 못해 봐요. 세상의 화장실이 어떻게 되겠는가! 크크. 그때 꼭 와요."

"네, 꼭 갈게요. 집에서 가장 좋은 옷으로 골라 입고요."

*

"하버지, 시장에서 어떤 독일 할머니자 하버지 쳐다봐써. 하버지 마음에 드나바. 히히."

시장에 다녀오는데 카티가 우스워 죽겠다는 듯 킥킥거린다.

"내가 아니라 카티 네가 귀여워서 쳐다본 거겠지."

"아니야. 내 눈이랑 안 만났어. 하버지만 쳐다봐써."

"허허. 거참."

"하버지, 나, 똥이, 키키, 나오고 싶어."

"그래, 얼른 집에 가자. 자, 빨리 와."

"응. 빨리 와께."

*

강미는 집에 온다. 신심과 카티는 첫눈에 반한 연인 같다. 게임을 하다 말고 서로 간질이고, 서로의 입에다 과자를 넣어주며 빙그레 웃기도 한다.

"카티, 할아버지 귀찮게 하지 않았지?"

"카티자 하버지랑 잘 놀아줬어. 즈지, 하버지?"

카티가 엄마를 보자 변심한 애인처럼 신심을 돌아보지도 않고 쪼르르 엄마 곁으로 달려가며 말한다. 살짝만 건드려도 피가 배어나올 듯 발그레한 입술을 움직여 그동안 있었던 일을 엄마에게 쫑

알거린다.

"카티랑 뭐하고 노나, 조금 걱정했는데 어찌나 재밌는지 시간 가는 줄 몰랐다. 이 할아버지를 위해 기특하게도 한국말만 하더구나."

신심이 말하며 예전 일을 떠올린다. 강미의 엄마와 결혼한 그에게 초등학교 3학년짜리 강미가 또박또박 말했다. 난 유강미야, 아빠의 얼굴도 알아, 그러니까 아저씨에게 아빠라고 부를 수 없어, 삼촌이라고 부를 거야. 강미는 아버지만이 아니라 엄마까지 잃었다고, 알고 보니 엄마가 자신의 편이 아니라 아저씨의 편이었다고 생각하는 모양이었다. 충분히 그럴 수 있었다. 자신의 방에서 자던 엄마가 어느 날부터 아저씨와 한 방에서, 한 침대에서 잤으니 그 박탈감이 오죽했을까. 그녀는 엄마에게 자신의 존재를 반복해 알려야 한다고 생각했는지 그들의 결혼 이후 지금 카티처럼 쪼르르 엄마 곁으로 다가가 성가실 정도로 이런저런 말을 늘어놓고는 했다.

강미가 고등학교 1학년이 되던 해부터 신심은 새벽 3시라는 시간을 다른 눈으로 보게 되었다. 차가 밀릴 것을 고려한 사람들이 트롤리를 트렁크에 싣고 새벽 일찍 여행지로 출발하는 시간이었다. 여름 한낮에만 느릿느릿 담장 위를 걸어다니는 줄 알았던 살찐 고양이가 가로등 불빛을 받으며 검은 아스팔트 위를 유유히 걸어가는 시간이기도 했다. 술에 취한 사람들이 서로 싸우다가 한 사람이 웩웩 도로 한복판에 토하면 다른 사람의 태도가 돌변하며 괜찮아? 괜찮아? 물으며 토하는 사람의 등을 두드려주는 시간이었다. 중년의 아줌마가 집 앞에 나와 덩치만큼 큰 목소리로 어디론가 전화를 해대면 앞집 아줌마가 시끄러워 잠을 잘 수 없다고 소리를 꽥 지르는 시간이기도 했다. 겨우 마련된 정적을 깨며 난데없이 경찰차와 앰뷸런스가 요란하게 지나가는 시간이기도, 신음과 비명과 인고의 시간 끝에 어미의 회음부를 찢으며 우렁우렁 아기가 태어나는 시간이기도 했다. 이전의 3시는 신심에게 학생들과 문학과 정치를 논한답시고 소맥을 진탕 마시는 바람에 갈증이 나 냉수를 벌컥벌컥 들이켜는 시간이었다. 선잠이 깬 상태로 누워 있다가 아내의 가슴으로 손을 뻗어 집적거리기도, 세 번에 한 번 꼴로 섹스에 성공하는 시간이기도 했다.

방 안의, 침대 속의 3시가 아닌 집 밖의, 거리의 3시에 대해 알 수 있게 된 건 강미 때문이었다. 그때 강미는 공부를 안 하는 것치고는 그렇게 부진한 성적이 아니었다. 하지만 아내는 성적표를 받아올 때마다 강미에게 잔소리를 했다. 생각보다 일찍 찾아온 갱년기 때문에 아내는 예민했고, 치매에 걸린 시어머니를 돌보느라 힘에 부쳐 자주 몸이 아팠다. 가끔 심각하게 우울해하기도 했다. 강미는 한참 사춘기였다.

"성적이 이게 뭐야? 전혀 나아지지 않았잖아? 이렇게 또 일 년을 허비하다니! 너, 언제 철들래? 응?"

"엄마, 허비하는 시간은 없어. 엄마 말대로 내가 일 년을 허비했다면 내가 80살까지 살 걸 79살까지 살 거라는 소리잖아? 하지만 그렇지 않아. 난 그냥 산 거야. 허비하지 않았어."

"성적이 나쁘면 이를 악물어야지, 나쁜 점수에 익숙해지면 돼? 응? 그게 시간을 허비하는 게 아니고 뭐야? 응?"

"왜 이를 악물어야 하는데? 왜 익숙해지면 안 되는데?"

"이를 악물어야 조금이나마 발전이 있지, 안 그래? 아, 옆에서 좋은 말해 주기도 이제 입이 아프다."

"좋은 말이 아니야. 강요야."

"거리에서 구걸하는 사람들, 너보다 머리가 나빠서 그런 줄 알아? 너보다 안 좋은 부모를 가진 줄 아느냐고?"

"사람의 일이란 순식간에 발생해버려, 정신 똑바로 차리지 않으면 당하게 되어있어, 또 이렇게 말하려고? 아, 지겨워!"

"너, 성당에는 왜 안 나가지? 응?"

"하느님이 누군데? 어디에 있는데? 있다면 왜 우리 아빠를 그렇게 일찍 데려갔는데? 우리 행복하게 잘 살 참이었잖아? 난 하느님 싫어. 하느님 나빠!"

강미는 밥 먹다 말고 문을 쾅 닫고 제 방으로 들어가 버렸다. 문에다 쪽지를 써서 붙였다.

'청소가 돼 있지 않습니다. 들어오지 마십시오.'

다음 날 강미는 밤 12가 넘었는데 연락도 없이 집에 들어오지 않았다. 한 번도 그런 적이 없었는데 1시가 넘고 2시가 넘어도 소식이 없었다. 전화도 받지 않았다.

새벽 3시가 되어갈 무렵, 아내와 그가 발을 동동 구르고 있는데 딩동, 벨이 울렸다. 아내가 마음을 놓으며 울음을 터트렸다. 그는 아내에게 방에서 나오지 말라고 당부한 다음 현관문을 열었다. 강미가 느릿느릿 들어와 느릿느릿 신발을 벗었다. 느릿느릿 말했다.

"삼촌 미안합니다…… 아직…… 안 주무시네요……."

평소와 달리 강미가 존댓말로 말했다. 신발이 벗겨지지 않는지 손가락을 느릿느릿 뻗어 발꿈치를 눌렀다. 그래도 벗어지지 않자 에이, 뭐야…… 중얼거렸다. 그는 평소와 다른 강미의 굼뜬 말과 움직임을 계속 쳐다보았다. 둘의 눈이 마주쳤다. 히죽, 그녀가 웃었다. 눈동자가 게슴츠레했다. 그제야 감 잡은 그가 나무라듯 말했다.

"너, 술 마셨구나. 고등학교 1학년밖에 안 된 녀석이……."

"아, 죄송함미다……."

술에 취한 그녀가 예의 느릿느릿한 행동으로 허리를 굽히며 꾸벅 절을 했다.

"대체 얼마나 마신 거야? 괜찮아?"

"아 그냥…… 조금…… 괜찮아요, 괜찮아."

"얼른 자거라. 씻고 뭐고 할 것 없이."

"네…… 그냥 자겠습니다…… 그게 도와주는 거지요……."

히죽, 웃는가 싶던 강미가 갑자기 욱, 욱, 토하기 시작했다. 뻘겋고 시큼한 액체가 마룻바닥으로 쏟아졌다. 다시 한 번 욱, 욱, 거리자 반쯤 씹힌 떡볶이 떡이 위 속에서 퉁퉁 분 채 바닥으로 투둑, 떨어져내렸다.

"아, 죄송함미다……."

강미가 눈물이 글썽한 눈으로, 콧물 범벅인 얼굴로 그를 향해 다시 한 번 느릿느릿 허리를 굽혔다.

"괜찮아. 얼른 들어가서 누워라."

어깨를 축 늘어뜨린 강미가 제 방으로 느릿느릿 걸어 들어갔다. 옷을 입은 채 침대에 꼬꾸라졌다. 그는 수건에다 따듯한 물을 적셔 강미의 얼굴을 닦아주었다.

그때부터 강미는 일주일에 한 번, 아니면 열흘에 한 번꼴로 술을 마시고 들어왔다. 밖에 나가 강미를 기다리며, 강미의 속에서 토해져 나오는 불어터지고 뜨끈뜨끈한 것들을 손으로 치우며 그는 새벽 3시라는 시간을 다른 눈으로 보게 되었다. 저라고 왜 힘들지 않을까, 싶어 마음으로도 다르게 느끼게 되었다. 하지만 아내는 달랐다. 여보, 쟤 저러다가 고등학교도 마치지 못하면 어떡해요? 걱정하며 강미에게 계속 잔소리를 했다.

강미가 고등학교를 마치고, 겨우겨우 대학을 마치고 독일로 유학을 간다고 했을 때도 아내는 여전히 불안해했다. 괜찮아, 상추도 씨를 촘촘히 뿌리면 뿌리를 못 뻗잖아? 그렇듯 사람이 좀 떨어져 있는 것도 좋아, 그가 말했지만 아내는 또 강미에게 잔소리를 했다.

"장소가 문제가 아니야. 의지가 문제지. 의지가 있으면 어디서든, 무엇이든 할 수 있어. 나를 바꾼 다음에 다른 걸 바꾸어야지, 안 그래? 집 때문에, 엄마 때문에, 외로움 때문에, 선생님 때문에, 학교 때문에, 옷 때문에, 넌 뭐든지 변명으로 일관해. 게으른 네 탓을 하지 않고 말이야."

"변명이 아니야. 진짜 그렇기 때문이야. 하지만 내가 게으르기 때문이기도 하지. 그래서 그래. 환경을 확, 바꾸면 좀 달라질 것 같아."

"송금 안 해줄 거야. 네가 벌어서 먹고 살아."

"응."

"어떻게 된 애가 그 나이 되도록 생각이 없는지……."

"엄마, 생각이 없는 사람은 없어. 생각이 다를 뿐이야."

"호강에 겨워하는 소리지."

"딱 그거야. 나, 호강에 겨워. 집이, 그리고 엄마가 고마운 적이 없었어."

"……."

강미가 독일로 떠났다. 그날 아내는 방에서 나오지 않았다. 차마 강미의 얼굴을 볼 수 없다고 했다. 송금 안 해줄 거라던 말과 달리 아내는 강미에게 곧 송금했다. 수시로 소포를 꾸려 보내주었다.

*

"김형, 날세, 신심. 오랜만이야."

신심은 독일에 온 지 사흘째 되는 날 희돈에게 전화한다. 예전의 독일 날씨가 그대로이듯 그의 전화번호 또한 그대로이다.

"누구? 이신심? 아, 정말 오랜만이네. 어디야, 지금?"

희돈의 목소리는 그대로가 아니다. 느리고 탁하다. 신심은 희돈과 기혼보다 한 살 위였지만 같은 날 독일에 도착해 같은 기숙사에서 지낸 터라 친구처럼 지냈다.

"지금 딸네 집에 와 있어. 건강하지?"

"응. 이형은?"

"건강해. 앞으로 우리가 갈 곳은 오직 한곳인데, 그때까지 건강해야지."

"그럼 그럼. 우리, 얼굴 한번 보세. 기혼과 셋이서 말이야."

"건너 들어서 대충 알고 있는데, 자네, 기혼과 화해한 건가?"

"화해라기보다는 뭐…… 얼마 전에 기혼이랑 전화 한 통 했어. 시간이란 게 꼭 칫솔 같다는 생각이 들더군. 이빨과 이빨 사이에 끼인 음식 찌꺼기를 없애주는 칫솔 말이야. 뭐, 충치와 치석은 그대로 남지만서도. 흐흐."

"시간이라는 칫솔? 멋진 표현인걸? 자네 요즘, 시 쓰나?"

"흐흐. 써보려고 노력하지. 하지만 쉽지가 않아. 그래도 가방끈 긴 사람이 좋다고 말해주니까 힘이 나는걸."

"시를 쓴다? 본받아야겠는데?"

"본받기는…… 자네도 뭘 쓴다고 맨날 노트에 끼적거리지 않았나? 그동안 책 낸 거 없나?"

"유감스럽게도 아직. 이제 시간이 있으니까 정리를 좀 해봐야지."

"하여간 고마우이. 전화해주어서."

"응. 조만간 한번 보세."

*

저녁을 먹고 대충 치우니 7시 30분이다. 카티는 제 방에서 인형을 가지고 논다. 한 30분 조용할 것이다. 강미는 화장실에 들어간다. 어떻게 된 게 요즘 맘 놓고 일 한번 편히 볼 수가 없냐, 중얼거리며 변기 위에 엉덩이를 철퍼덕 올려놓는다. 세일할 때 산 플라스틱 양변기가 카티를 낳은 후 퍼져버린 엉덩이를 감당하지 못해 삐꺽거린다. 운동을 하던지, 조금 덜 먹던지, 철퍼덕 앉지를 말든지, 삐꺽 대는 소리를 줄이는 방법에는 여러 가지가 있다. 그래, 방법이 없어서 해결하지 못하는 문제는 없어, 중얼거리며 그녀는 저녁 먹을 때 한스와 잠깐 다툰 일을 떠올린다.

"강미, 방학이 얼마 남지 않았어. 방학에 우리, 네덜란드로 자전거 여행을 떠나자."

한스가 빵 위에 햄을 얹으며 말했다.

"아, 좋아! 하버지도?"

카티가 짝짝 손뼉을 치며 대꾸했다. 당연하지, 한스가 싱글거리며 말했다.

"난 안 돼."

강미가 정색하며 대답했다.

"왜? 너도 법적으로 일 년에 5주 정도의 휴가를 받을 텐데?"

한스가 화장실의 불빛보다 더 침침한 얼굴로 물었다.

"그렇기는 해. 하지만 나, 6개월 동안 임시로 고용되었어. 일을 시작한 지 채 2주도 안 됐다고."

"그럼 당신을 빼고 휴가를 가란 말이야? 당신 빼고 세 명이?"

"그럴 수도 있지. 아니면 휴가를 집에서 보낼 수도 있고."

"아이, 이거, 참……."

강미와 한스, 둘 사이에 저기압 기류가 흐르자 그걸 눈치 챈 카티가 대뜸 한마디 했다. 너네, 사이좋제 안 놀레? 응?

강미는 내일 일하러 가서 상황을 한번 살펴봐야 할 것 같다. 모리츠한테도 따로 물어보자, 방법이 없어서 해결하지 못하는 문제는 없으니까, 생각하며 강미는 변기에 앉아 잡지를 펼친다. 기분전환도 할 겸 성인유머 한 꼭지를 읽는다.

한 남자가 분위기 있는 레스토랑에서 여친과 식사를 한다. 집에 데려다주기 위해 자동차를 몬다. 그러다 중간에 주차장에 차를 세운다. 서로 열정적인 애무를 한다.

"손으로 해줄 수 있어?"

그가 구걸하듯 묻는다.

"어떻게 해줘야 하는 건데?"

경험이 없는 그녀가 조언을 청한다.

"아주 쉬워. 너, 사이다병을 엄지로 막은 다음 위아래로 흔들어 누군가에게 튀게 만든 적 있지? 그때랑 똑같이 하면 돼."

그녀가 시작한다. 그가 흥분한다. 절정을 향해 달려가는 듯하다. 하지만 어느 순간부터 그가 괴로워한다. 크게 신음을 내지르며 눈동자를 희번덕거리기도 한다. 급기야 얼굴을 시뻘겋게 물들이며 줄줄 식은땀을 흘린다.

"왜 그래? 내가 뭘 잘못했어?"

그녀가 겁먹은 듯 묻는다. 그가 소리친다.

"마이 갓! 네 엄지를 제발 거기에서 떼어줘!"

강미는 크크 웃는다. 그렇군, 누군가에게 무엇인가를 '거의 맞게' 해준다는 건 실수의 여지를 열어두는 것이군, 생각하며 조금 아까 남편과 잠시 다툰 일을 다시금 떠올린다. 그래, 독일에서 독일 남편이랑 '거의 맞게' 산다는 건 오해와 다툼과 갈등의 소지를, 수정과 화해의 여지조차 열어두는 것이군, 생각하기도 한다. 독일어를 가르쳐준답시고 만나 사랑을 고백하고, 아이를 키우는 엄마에게 가장 큰 생일선물이라며 생일날 늦잠을 자게 해주는 동시에 하루 종일 밥을 하지 않게 해주고, 가끔 터키사람의 흉을 보는 그에게 눈을 흘기면 당신은 내 아내이지 외국인이 아니야, 라고 말하며 머리를 쓰다듬어주던 남편이 어느 날 한국과 독일의 축구시합에서 대놓고 독일을 응원해 그녀가 독일에서 추방당하는 꿈을 꾸게끔 했듯이. 하루 전까지 자신이 세상에서 가장 예쁘고 잘난 줄 알았던 장미꽃이 점점 고개를 아래로 떨어뜨리듯 그녀가 이틀 정도 어깨를 축 늘어뜨린 채 우울해하자 그가 진심으로 사과하며 화해의 단초를 마련했듯이.

그래, 그런 거야. 엄마와도 마찬가지야, 강미는 중얼거린다. 내

색은 하지 않지만 삼촌을 보는 내내 그녀는 그의 옆에 없는 엄마의 얼굴이 떠올랐다. 함께 왔으면 좋았을 것을, 싶은 생각이 드는 순간 불현듯 엄마가 보고 싶어지기도 했다. 그녀는 잠시 쓰게 웃는다.

*

"강미야, 지금에야 묻는데, 너, 지금 무슨 일을 하러 다니는 거냐?"

아침에 강미가 막 집을 나서는데 신심이 묻는다.

"청소."

"청소?"

"응. 화장실 청소."

"화장실 청소?"

"응. 왜? 삼촌도 한스처럼 그 시간에 하다 만 공부나 할 것이지, 그런 생각이야?"

"아니, 그렇게 생각하지 않아. 네가 평생 동안 화장실 청소를 할 것도 아니고 말이지…… 화장실, 사람에게 귀중한 곳이야. 배변을 잘해야 만사형통이니까. 그러니까 화장실은 사람의 만사형통을 기원해주는 신성한 곳이지."

"그렇지? 삼촌은 역시 많이 배운 사람이라 생각이 달라. 엄마가 알았다면 도시락 싸가지고 다니면서 말렸을 텐데 말이야."

강미가 눈을 찡긋하며 일하러 나간다. 화장실 청소를 하러간다. 아무나 말리냐, 엄마니까 말리는 거지, 속생각을 하던 신심은 화장실, 이라는 단어에 잠시 아내를 떠올린다. 잘 먹지 못하고, 배변을 잘하지 못하던 아내를 떠올리는 건 그녀를 다시 한 번 보내는 것만큼이나 힘들다.

일반병실에서 치료를 받던 아내가 구름다리를 타고 죽음의 병동인 호스피스 병실로 건너가 세실리아 방에 머물 때였다. 그녀가 화장실에 가겠다고 했다. 신심은 화들짝 놀랄 정도로 기뻤다. 배변 의지가 건강을 되찾을 좋은 징조라 여겨졌기 때문이었다.

암세포 때문에 뼈가 문드러져 왼발과 왼팔을 쓰지 못하는 아내를 침대에서 지척인 화장실까지 옮기는 건 참으로 어려운 작업이었다. 왼팔에 힘을 주면 골절이 될 수도 있다고 의사가 주의를 주었기에 그는 긴장한 상태로 아내를 침대에서 일으킨 다음 휠체어에 앉혔다. 세 번의 시도 끝에 가까스로 휠체어에서 화장실의 좌변기로 옮겼다. 그의 온몸에 식은땀이 흘렀다. 아내는 꼬박 두 시간을 좌변기에 앉아있었다. 몸을 지탱하기도 힘든 상태인데다 배변이 안 되어 고통스러워했다. 무리해서 움직인 탓에 세 번이나 구토했다. 시커먼 핏덩이가 쏟아졌다. 제발 별것 아니기를, 제발 사소한 것이기를 그는 빌었다.

곧 꼬꾸라질 것 같은데도 아내는 고집을 부렸다. 지금 안 되면 내일 다시 하자고 했지만 소용이 없었다. 그에게 짜증이 솟구쳤다. 한편 아내가 좌변기에 2시간이나 앉아 있다는 것 자체가 나름의 힘으로 느껴져 작은 위안이 되기도 했다. 그는 보다 못해 손에 비닐장갑을 끼고 아내의 배변을 도왔다. 그러다 비닐장갑이 벗겨져 장에 달라붙어 있던 시커멓고 단단한 것이 손에 묻었다. 상관없었다. 관장이 아닌 자연 배변을 하였다는 것 자체가 기쁨이었다. 아내도 흐뭇한지 모처럼 얼굴이 환해졌다.

하지만 다음 날부터 아내는 식음을 전폐했다. 며칠 동안 배변도 하지 못했다. 입 다심 정도도 안 되는 식사마저 못 했으니 배변이 될 리 없었다. 소변도 보지 못해 호수를 끼웠다. 먹는 일이, 싸는 일이 그토록 절박한 일인 줄 신심은 예전에 생각조차 못했다. 그는 기도하며 하느님에게 매달렸다. 아내를 살려달라는 말을 반복해 되뇌었다.

그리고 아무 말도 하지 않았다

"할로, 줄리아나. 〈그리움의 현주소〉의 얀이라고 해요."

"어머나 세상에! 할로~."

반가워 어쩔 줄 모르는 줄리아나에게 얀은 인터뷰를 요청한다. 둘은 시간 조정을 한다.

얀은 그녀의 허락하에 그녀의 엄마와 통화한다. 그녀의 엄마는 D도시에 살던 어떤 친구의 집에서 이영준을 처음 만났다. 그들은 함께 음식을 만들었고, 식탁에 촛불을 켜놓고 앉아서 맥주와 와인을 곁들여 먹었다. 그녀는 비교적 독일어를 잘하는 리와 관계를 가졌고, 10개월 후에 줄리아나가 태어났다. 리에게서는 지금껏 아무런 소식이 없다. 그녀는 이제 그에게 관심이 없다.

얀은 줄리아나 엄마와의 통화 내용을 기록한다. 인쇄하여 편집장의 책상 위에 올려놓는다. 아버지에게 전화한다. 아버지 또한 이영준에 대해 더 이상 알아내지 못했다. 그는 베를린 한국대사관에 전화한다. 이영준의 고향과 생년월일, 이미 알고 있는 정보만 얻는다. 그는 줄리아나를 만나기 위해 스텝과 함께 밖으로 나간다.

"할로, 줄리아나."

"아, 얀. 반가워."

"나처럼 반반 섞인 짬뽕인데, 나와 달리 넌 동양적으로 생겼네?"

"얀, 내 눈에 네가 오히려 동양적으로 보여!"

그러자 함께 촬영 나간 스텝들이 이구동성으로 말한다. 얀이나 줄리아나, 둘 다 동양적으로 생겼어!

처음부터 말을 튼 그들은 화기애애한 분위기 속에서 정해진 콘셉트에 따라 촬영을 마치고 회사로 돌아온다. 언제인가처럼 이번에도 베티는 구성작가가 써준 것을 외워서 말하는 도중에 기침을 해 처음부터 다시 찍어야했다. 화면상으로 자연스럽게 보이는 건 편집의 힘이다. 한 장면을 10번 넘게 찍을 때도 있다.

매번 똑같은 작업임에도 불구하고 베티가 이번에도 상대방의 감정에 완전히 이입되었다. 줄리아나를 따라 우는 바람에 그녀의 코가 빨개져 분장사의 도움을 몇 번 받아야 했다. 그녀의 강점이자 제작진이 바라는 바이다. 내용만 조금 다를 뿐 거의 비슷하게, 심지어 똑같은 절차로 만들어지는데도 시청자들 또한 이 장면에서 많이들 따라 운다. 인간의 교집합적인 심리 덕분에 〈그리움의 현주소〉의 시청률이 올라간다.

하지만 얀은 베티와 달리 7년 동안 많은 사람에게 그들이 보고 싫어 하는 사람을 찾아주면서도 별 감흥을 느끼지 않는다. 직업이니까 그저 열심히 할 뿐이다.

촬영감독이 편집실에 들어가 그날 찍은 것을 편집한다. 줄리아나에 대한 방송의 앞부분에 들어갈 내용이 다음과 같이 편집된다.

조용한 방에서 베티와 줄리아나가 대화를 나눈다.

"줄리아나, 누구를 찾고 있나요?"

"영준 리, 아버지를 찾고 있어요."

"아버지가 보고 싶나요?"

"물론이지요."

그렁그렁한 눈물을 닦아내며 줄리아나가 코맹맹이 소리로 대답한다.

"엄마와 아버지는 어떻게 만났나요? 그리고 어쩌다가 헤어졌지요?"

"엄마와 아버지는 어떤 파티에서 만났어요. 둘 다 결혼한 사람이었는데 잠깐 바람을 피웠지요. 그게 탄로 나 엄마는 이혼당했고, 제 아버지는 사라졌어요. 엄마의 배가 제법 불렀을 때라고 해요. 아마도 한국의 부인에게 돌아간 것 같아요."

"언제부터 아버지를 찾기 시작했나요?"

"얼마 전부터요. 제가 한동안 심적인 방황을 했어요. 그러는 바람에 나이가 들어서야 유치원 보모교육을 받았지요. 지금 취직해서 일하고 있어요. 남자친구가 생겼고, 아이를 가졌지요. 문득 아버지 생각이 나더군요. 아버지가 있다는 게 어떤 느낌일까, 궁금해졌어요. 그래서 찾기 시작했지요. 아, 외할머니가 돌아가셨기 때문이기도 해요. 외할머니가 저를 끔찍이 사랑해주셨거든요. 외할머니는 엄마를 좋아하지 않았지만 크리스마스가 되면 엄마와 저를 꼭 초대했어요. 할머니는 저를 처음 보는 순간 사랑에 빠졌다고 해요."

"어렸을 때 왜 아버지를 찾고 싶다는 생각을 하지 않았나요?"

"아버지를 만나고 싶지 않았어요. 엄마와 저를 버린 사람이니까요."

"어렸을 적의 이야기를 해줄래요?"

"따돌림을 받았어요. 생긴 게 달라서요. 내가 왜 다른 아이들과 다르게 생겼는지 항상 설명을 해줘야 했어요."

"아버지를 만나서 가장 먼저 물어보고 싶은 말이 있다면요?"

"나처럼 아버지도 날 보고 싶어 했는지, 그걸 물어보고 싶어요."

"독일에 사는 한국 사람과 사귄 적이 있나요?"

"아니요. 저는 독일식으로 자랐어요. 엄마에게서 아무것도 받지 못했고, 고등학교 때부터 혼자 벌어서 먹고 살았지요. 얼마 전에 '백커' 라는 엄마의 성에서 '리' 라는 성으로 바꾸었어요. 아버지와 조금 더 가까움을 느껴보기 위해서요. 그의 목소리가 어떤지, 그의 웃는 모습이 어떤지 모르지만, 그가 요즘 너무나 가깝게 느껴져요."

아버지를 찾는 줄리아나가 휴지로 눈물을 닦아낸다. 베티 또한 눈물을 글썽이며 그녀를 안는다. 등을 토닥인다.

"결혼한다고 들었는데, 맞나요?"

"네. 9월에 결혼해요. 내년 2월에 아이가 태어나지요. 아이에게 외할아버지가 있으면 좋겠어요. 제게 외할머니가 있었듯이요."

"줄리아나, 내가 온 힘을 다해 당신의 아버지를 찾아볼게요. 당신이 아버지에게 물어보고 싶어 하는 것에 대한 답을 꼭 듣게 해 줄게요."

베티가 줄리아나의 손을 잡은 채 웃음 띤 얼굴로 물끄러미 바라본다.

독일에서 찍어야 할 것을 다 찍는다. 스텝은 이영준에 대한 단서 하나를 들고 일주일 후에 한국으로 날아가기로 한다. 한국에 있는 호텔에 예약을 하고 차를 렌트한다. 대충의 일정이 잡힌다. 한국말을 할 줄 아는 그가 통역을 맡는다. 기꺼이는 아니지만 통역비를 줄일 수 있다고 하니 거절할 수가 없다.

얀은 형, 상현보다 한국어를 잘했다. 상현은 수학과 화학 등 이과 쪽에 강했고 스포츠를 좋아했다. 얀은 영어나 불어 등 문과 쪽에서 언제나 좋은 점수를 받았다. 아버지의 강요에 상현도 한글학교에 다녔지만, 한국말을 알아듣고 할 줄도 알았지만, 언제나 독일말만 했다. 한국말을 할 때 단어가 금방금방 떠오르지 않아 마치 똥을 쌀 때처럼 음—음— 소리를 내야 하는 게 싫고, 한국말을 못 알아들었을 때 네? 하고 다시 물어보는 게 쪽팔린다고 했다.

얀은 눈을 반짝이며 한국어를 배웠다. 아플 때를 제외하고는 한 번도 한글학교에 빠지지 않았다. 체육대회나 광복절행사 때 먹는 한국 음식이 맛있었고, 장구나 가야금 소리도 독특했다. 잘하지는 못했지만 제기차기도 흥미로웠다. 아버지는 그런 얀을 기특해했다.

어느 날 상현이 얀에게 말했다.

"얀, 아버지는 독일어가 서툴고 난 한국어가 서툴러서 의사소통이 제대로 되지 않아. 그나마 엄마랑 이런저런 이야기를 나눌 수 있어서 다행이지. 얀, 나는 독일에 살 사람이라 독일어가 우선이야. 난 독일 친구와 독일 음식이 좋아. 친구가 놀러 왔을 때 물을 한 잔 주려고 냉장고 문을 열면 김치 냄새가 나는 게, 누가 방귀를 뀌었느냐며 친구가 코를 틀어막는 게 창피하고 싫어. 한인 잔치나 8 · 15 광복절행사에서 고기를 구워주는 거 얻어먹기도 싫고, 술에 취해 얼굴이 벌게진 어른들이 가라오케를 하고 차차차 댄스를 추는 것도 보기 싫어. 얀, 교포가 교포 안에서만 교류하면 발전이 없어. 독일에서 직장 잡기가 힘들어진다구. 우린 독일에서 살 거니까 독일인과 경쟁해야 해. 너도 우물 안 개구리가 되고 싶지 않으면 얼른 정신을 차려."

형의 말, 일리가 있어, 라고 대꾸를 하면서도 얀은 아버지가 한국말을 하면 집중해서 들었다. 아버지를 위해 대답도 성심껏 한국말로 했다. 그렇다고 얀이 한국어를 완벽하게 잘하는 건 아니었다. 그냥 생각나는 대로 중얼거리는 수준이었다.

그가 막 초등학교에 들어갔을 때였다. 그는 아버지를 따라 한국에 갔다. 더듬거리면서도, 또 틀리게 발음하면서도 그가 한국말로 종알대면 사람들이 귀엽게 봐주었다. 혹시 장애아가 아닌가 싶어 이상한 눈길로 쳐다보는 사람도 있었다. 혼혈아인 그의 모습을 바라보며 대놓고 물어보는 사람도 있었다.

"코가 크고 눈이 큰데 머리는 까맣고, 얼굴은 백인처럼 흰데 쌍꺼풀은 없고, 어떻게 된 애냐?"

"저는 짬뽕이애요. 그래서 그래요."

얀은 아버지가 집에서 하는 그대로 대답했다.

한국에 있는 동안 한 번은 얀이 아버지의 형, 큰아버지가 사는 아파트의 놀이터에서 놀다가 실수로 다른 동의 아파트 입구로 들어갔을 때였다.

"어떻게 왔니?"

똑같이 생긴 아파트처럼 똑같이 생긴 다른 동의 수위 아저씨가 물었다.

"발로 왔어요."

그런 걸 왜 물어보나, 내가 놀이터에서 여기까지 발로 걸어서 오지 그럼 차를 타고 오나, 얀은 생각하며 대답했다.

"허허허, 뉘 집 손인고? 그놈 참 귀엽게도 생겼네."

"뉘집손인고, 가 뭐야? 요? 근데 왜 저한테 그놈이라고 해? 요? 그놈은 욕이자나? 요?"

"아, 미안. 녀석 참……."

수위 아저씨가 다시 한 번 허허허, 웃는데 마침 아버지가 걱정되어 얀을 찾으러 다른 동 입구에서 나오는 게 보였다. 수위 아저씨의 말에 아버지도 하하하, 웃었다. 그 이야기는 삽시간에 전 아파트에 퍼져 쟤가 바로 발로 온 애야, 하고 사람들이 킬킬거렸다. 얀은 자신을 바라보며 웃는 사람들을 마주 보며 히죽, 웃어주었다.

얀은 이제 예전처럼 서슴없이 한국말을 쫑알거릴 수는 없다. 하지만 걱정할 정도는 아니다. 어려운 단어가 많이 들어있지 않으면 거의 알아듣는다. 말을 하는데 있어서 조금 틀려도 상관없다는 생각이기도 하다. 한국인인 아버지도 한국에 갔을 때 가끔 한국말을 더듬거리지 않았나. 그럴 경우 민망한 아버지는 누가 뭐라고 하지도 않았는데 머리를 긁적이며 말했다. 네 엄마와 맨날 독일어를 해서 그래, 그래서 한국말이 바로 입에서 튀어나오지 않는 거야, 에그, 나도 장애자야, 언어장애자, 지하철의 장애인석에 앉아도 되겠어.

얀은 형이 아버지에게 자주 혼나는 것을 보아 눈치껏 행동했다. 아이들이 집에 놀러오면 일부러 김치를 꺼냈다. 이거, 건강식품이야, 냄새는 특이하지만 비타민이 풍부해, 감기에 특히 좋아, 그러니까 자, 한 번씩 먹어봐, 하며 인상을 쓰며 코를 막는 아이들에게 김치를 먹였다. 그때부터 아이들은 그의 집에 올 때마다 김치를 찾았다. 입술이 벌게지고 매워서 땀을 찔찔 흘리면서도 맛있다며 먹었다.

*

얀은 일을 대충 정리하고 집으로 돌아간다. 쾰른의 거리를 걷는다. 한여름인데도 손이 시릴 정도로 바람이 차다. 추적추적 비까지 온다. 전쟁 후에 폭격을 받아 폐허가 된 쾰른의 거리를 걷던 『그리고 아무 말도 하지 않았다』 소설 속의 주인공, 프레드가 떠오른다.

전화교환수인 프레드는 일을 마치고 거리로 나온다. 추적추적 비가 내린다. 그는 외투의 깃을 올린다. 차비를 아끼느라 전차 12번을 몰래 탔다가 몰래 내린다. 소시지를 파는 간이식당에 들어간다. 소시지와 국 한 공기, 10개비의 담배를 주문한다. 좁은 집에서 주인 여자의 구박을 받으며 아이들 셋과 아등바등 사는 아내에게 보낼 월급봉투 속에서 10마르크짜리 지폐를 꺼내 주인에게 건넨다.

그는 간이식당에 달린 거울 속에서 어떤 남자의 모습을 본다. 야구모자 아래 마르고 회색이 감도는 얼굴, 바로 자신의 모습이다. 주위를 둘러보자 천막을 때리는 빗소리를 들으며 소시지를 먹고 있는 옆의 남자도 그와 비슷한 모습이다. 예전에 엄마의 집에 물건을 팔러 왔다가 거절을 당하고 돌아가던 남자의 모습이다.

그는 월급을 집에다 직접 가져다줄 용기가 없다. 아는 사람을 찾아가 아내에게 전해 달라고 부탁한다. 그는 아이들을 사랑한다. 하지만 아이들을 때린다. 군대에 있을 때 상관이 졸병을 때리는 걸 쳐다보지도 못한 그였다. 하지만 퇴근하고 집에 가면 쉬고 싶은데 아이들이 노래를 부르며 시끄럽게 놀기 때문에 아이들을 때린다.

그는 아이들을 때리고 싶지 않아 집에서 나왔다. 얇은 벽 사이로 스미는 옆방 부부의 섹스하는 소리가 듣기 싫어서이기도 하다. 그는 역에서, 아는 사람의 집에서 잔다. 그게 편하다.

그가 집에서 나온 지는 한참 되었다. 거리를 지나다가 우연히 아이들과 마주칠 때가 있다. 그럴 때면 흠칫 놀라 머뭇거린다. 그와 달리 아이들은 활짝 웃으며 그에게로 달려온다. 아빠, 건강한 거야? 아픈 건 좀 어때? 집엔 언제 돌아와? 팔에 매달려 그의 안부를 묻는다. 아내 캐테가 아이들에게 그가 많이 아프다고, 그래서 집에 못 오는 거라고 말해놓았다.

다음날 프레드는 아내 캐테를 만나기 위해, 아내와 싸구려 여관에서 하룻밤을 지내기 위한 돈을 빌리러 다닌다. 하지만 쾰른의 30만 명의 시민 중에 그에게 돈을 꾸어줄 사람은 없다. 그는 주머니 속의 잔돈을 그러모아 공중전화기 안으로 들어간다. 마음을 졸이며 상관의 집 전화번호를 돌린다. 신호가 간다. 그는 왼손으로 이마의 식은땀을 훔치며 상관의 목소리를 점친다. 그의 목소리는 친절할까? 돈을 빌려준다고 할까?

프레드는 잠시 후에 상관의 집 복도에 서 있다. 상관이 다가오자 상관의 그림자가 그의 몸에 겹쳐진다. 그걸 느끼면서도 프레드는 차마 고개를 들 수 없어 바닥만 쳐다본다. 이봐, 뭐 그럴 필요까지 있나? 상관이 말한다.

상관은 50마르크 대신 35마르크를 빌려준다. 그 돈을 받으며 프레드는 심하게 기침을 한다. 그가 들이마시는 가난은 먼지처럼 맛이 없고 느낄 수 없지만, 눈에 보이지 않고 정의할 수도 없지만, 그건 폐에 들어가 기침이 나게 하고 가슴과 머리와 몸의 혈액순환을 지배하며 호흡곤란을 일으키고는 한다.

얀은 그 책을 고등학교 때 읽었다. 어떤 친구는 독일어 점수를 잘 받기 위해 끝까지 읽었다고 하고, 어떤 친구는 반쯤 읽다가 너무 구질구질해 던져버리고 인터넷으로 줄거리를 검색했다고 말했다. 하지만 그는 작가가 세필로 묘사해놓은 프레드의 내면을 따라가며 절대적인 공감을 했다. 전쟁, 폐허, 가난, 희망이 없는 미래, 그런 것들이 그의 마음을 사로잡았다. 책 속의 상황과 그의 상황이 겹쳐졌기 때문이다.

얀은 그때 한참 남자아이들과 의사놀이를 했다. 각자의 페니스 길이와 두께를 재고, 털의 숫자를 세고, 서로 만족할 때까지 만져주었다. 와우, 소리가 나올 정도로 흥분이 되고 즐거운 시간이었다. 얀은 그게 나쁜 행동이라고 생각하지 않았다. 다들 그런 식으로 논다고 생각했다. 그랬기에 아버지에게 어느 날 아무 거리낌 없이 의사놀이에 대해 말할 수 있었다.

"뭐? 나도 그 나이 때 남자애들이랑 어울려 철없이 놀긴 했다만, 세상 참! 얀, 그런 쓸데없는 짓, 이제 그만해! 열심히 공부나

하라고! 알았어?"

아버지가 기겁하며 얀에게 명령하듯 말했다.

"파파, 난 여자들과 이야기를 나누는 게 재밌고 편해. 하지만 매력을 느끼지는 못하겠어. 그런 반면에 남자를 보면 가슴이 두근거려. 손을 잡고 싶기도 해."

분위기를 파악하지 못한 얀은 말이 나온 김에 천진난만한 표정으로 덧붙였다.

"너, 아빠 말을 못 알아들었나 본데, 다시는 그런 쓸데없는 짓 하지 마, 알았어?"

아버지가 싸늘한 표정으로 단호하게 말했다. 예상했던 것과 전혀 다른 반응이었다. 아버지의 그런 쓸데없는 짓, 이라는 표현은 그에게 폭력이었다. 폭력의 폭격이었다.

얀은 그날 이후 아버지의 말을 더 잘 들었다. 공부도 더 열심히 했다. 남자친구들 대신 여자 친구들을 집으로 데려왔다. 아버지는 그래, 그냥 지나가는 감정이었을 거야, 생각하고 마는 듯했다. 우습게도 많은 경우 그렇지 않기를 바라는 쪽으로 일이 진행된다는 걸, 폭격의 폐허 위에서도 죽지 않고 살아남는 게 있다는 걸 모르는 듯했다. 아니, 모른 척하는 듯했다. 전체의 줄거리 적기, 구체적인 예를 들어 나름대로 해석하기, 자신의 의견을 기술하기, 이렇게 이어지는 독일어 시험에서 그는 그때 가장 좋은 점수를 받았다.

추적추적 끊임없이 내리는 비를 맞으며 얀은 쾰른의 밤거리를 걷는다. 여름이라 썸머타임이 시행되어 8시인데도 그리 어둡지 않다. 얀의 눈앞에 바가 나타난다. 빨주노초파남보, 바의 입구에 다양성을 상징하는 무지개색의 깃발이 꽂혀있다. 게이들이 드나드는 곳이다. '편안하고, 맛있고, 섹시한 바'라고 적힌 간판에 불이 희미하게 들어와 있다. 한번 들어가 볼까, 생각한다. 다를 거 하나도 없어, 남자의 숫자가 월등히 많다는 것 빼고는, 동료 편집자인 마티아스가 말했었다. 그는 바를 스쳐 지나간다. 아내 안나, 그리고 두 딸과 함께 식탁에 앉아 음식을 입에 넣으며 하루의 이야기를 주고받기 위해 집이 있는 쪽으로 발길을 돌린다. 언제나 그랬듯이.

쾰른은 독일에서 네 번째로 큰 도시이다. 도시의 상징인 대성당 옆으로 라인 강이 흐른다. 해마다 7월 초에 게이들의 축제, CSD(Christoph Street Day)가 열린다. CSD는 동성애자와 윤락 여성들, 성전환자 등 사회적으로 핍박을 받는 이들이 1969년 6월 7일에 미국 뉴욕의 크리스토프 거리에서 경찰과 맞서 소수의 인권을 주장한 날을 기억하기 위해 벌이는 축제이다.

올림픽을 표방해 게이의 스포츠문화축제 '게이 게임즈' 또한 이달 말에 개최될 예정이다. 차별과 혐오를 무너뜨리기 위한 많은 기획 중의 하나인 '게이 게임즈' 의 원래 대회 명칭은 '게이 올림픽' 이었다. 하지만 올림픽 명예 실추라는 이유로 올림픽이라는 단어를 쓰지 못하게 하여 '게이 게임즈' 라는 이름으로 바뀌었다.

전쟁의 폐허 위에 개방적이고 다양하면서도 평화스러운 풍토를

일구어낸 쾰른에서 게이를 친구나 동료, 이웃으로 알고 지내는 건 자연스러운 일이다. 소수민이 그렇게 하듯 게이도 그들만의 구역을 만들어 협조하며 똘똘 뭉친다. 동성끼리 손을 잡고 다니거나 키스를 하는 건 대성당을 중심으로 한 도심 풍경의 일부이다.

형이 사고를 당한 얼마 후에 얀은 아버지와 두 번째로 부딪혔다. 그날 얀은 대학에서 함께 공부하는 친구이자 애인인 지몬과 부모님의 집에서 사랑을 나누었다. 침대에 누워 꼬옥 껴안은 다음 서로 부드럽게 쓰다듬어주었다. 둘 다 남자라 남자에게 어떻게 해줘야 쾌감을 느끼는지 잘 알기에 둘은 오럴섹스로 그날의 마무리를 지었다.

그때 얀은 '바푁'이라는 대학생에게 주는 정부지원금을 받으며 기숙사에서 살고 있었는데 형이 그렇게 되자 부모님의 꼴이 말이 아니었다. 둘 다 금방 자살이라도 할 듯이 보였다. 자신도 힘들었지만 그는 한동안 부모님을 위해 그들의 집에 들어가 살았고, 그날 애인이 오랜만에 찾아온 것이었다. 얀은 지몬을 배웅하러 현관문까지 나갔다. 달콤한 헤어짐의 키스를 나누었다. 형을 잃고 슬픔에 빠진 그를 위로하느라 지몬이 특히나 부드럽게 키스를 해주었다. 그의 키스를 받고 충만한 기분으로 눈을 뜨니 얀의 눈앞에 두 개의 눈동자가 보였다. 어렸을 때 키우던 강아지의 눈빛을 보았다고 얀은 순간 생각했다. 늙은 데다 암에 걸려 고통스러워하며 죽어가던 강아지의 눈동자를. 하지만 그건 아버지의 눈동자였다. 위층에서 일을 하다가 몸이 안 좋아 아래층으로 일찍 내려온 것이었다. 비밀 중의 비밀이 그렇게 들통 났다.

"이 자식이, 아직도 정신을 못 차리고 또? 좋게 말할 때 안 듣고 또? 네 이놈, 이 나쁜 놈, 너 죽고 나 죽자! 다 죽어버리자고!"

아버지는 손이 닿는 대로 그와 지몬을 때리고 발로 차기까지 했다. 얀과 키스하다 말고 날벼락을 맞은 지몬이 걸음아 날 살려라, 도망을 쳤다. 아버지의 말에 언제나 순종했듯 얀은 그때도 알아서 물러섰다. 쾰른에 작정하고 퍼부은 영국군의 폭격 같은 아버지의 손찌검 앞에서 얀은 일단 무릎을 꿇었다. 잘못했다고, 다시는 안 그러겠다며 빌었다.

전에도 그랬듯 이후에도 둘은 그것에 대해 단 한마디도 나누지 않았다. 얀은 자신의 성향을 다시금 꾹, 꾹, 억눌렀다. 조금의 방심도 허락하지 않았다. 그처럼 뚜렷한 성 정체성이 없는데도 말이다. 아버지가, 또는 많은 사람이 생각하는 과도기적인 성 정체성의 혼란이 절대로 아니었다.

얀은 지몬과 이별한 다음 삶에 대한 의욕을 잃었다. 자신이 당당하지 못해 지몬을 지켜주지 못했다고 생각하자 자살 충동마저 느껴졌다. 그는 다리 위에 서서 전속력으로 내달리는 빨주노초파남보, 무지개보다 더 여러 가지 색인 자동차를 내려다보았다. 이성을 사랑해야만 인간으로 간주하는 세상의 편협함에 절망이 밀려들었다. 그는 난간에 두 팔을 짚은 채 다리 하나를 들어 올렸다. 도로 한가운데에 떨어져 산산조각이 난 자신의 몸을 상상해보았다. 그렇게 박살이 나야 자신의 게이 성향이 사라질 듯했다. 하지만 차마 뛰어내리지 못했다.

그는 기숙사로 돌아갔다. 자괴감에 시달리면서도 열심히 공부했다. 엄마를 통해 열심히 공부한다는 것을, 지몬은 물론 다른 남자와 만나지 않는다는 것을 아버지에게 알렸다. 성 정체성이 제대로 발달하지 않은 미숙한 시기, 또는 과도기적인 상태라는 것쯤으로 아버지가 다시금 생각을 굳히도록 방조했다.

그때 얀은 다시 『그리고 아무 말도 하지 않았다』를 읽었다. 1,000대가 넘는 연합군의 폭격기가 2,000톤의 폭탄을 투하해 폐허가 된 쾰른의 모습이, 프레드의 가난함과 날씨의 스산함이, 아무 말 하지 못할 정도의 허무가, 미래의 희망 없음이 자신의 모습과 중첩되었다. 그는 예전에 보지 못한, 아니, 보았지만 대수롭지 않게 넘겼던 다음과 같은 대목을 집중해서 읽었다.

프레드는 12번 전차를 타고 엄마의 묘지에 다녔다. 엄마는 그가 7살 되던 해에 죽었다. 어느 날 침대에 누워 꼼짝도 않는 엄마를 장의사가 와서 씻겼다. 하얀 옷을 입히고, 관 뚜껑에다 못을 박고, 차에 싣고, 땅속에 집어넣었다. 관 위에 흙을 뿌리고 발로 다진 다음 삽으로 작은 봉우리를 만들었다. 그 위에 화환을 놓았고, 하얗고 조그마한 십자가를 세웠다. 십자가 위에 까만 글씨로 '엘리자베트 보그너' 라고 쓰여 있었다.

어른이 되어서도 그는 가끔 묘지에 가서 장례식에 참석했다. 모르는 사람의 관을 따라가고, 장례식이 끝난 후에 여자들이 울면서

접시에 담아주는 소시지와 감자샐러드를 받아먹었다. 맥주를 마시고, 담배를 피우고, 독주를 마시며 그는 관에 누워 있는 모르는 사람의 생애에 관한 이야기를 들었다. 그러던 어느 날 그는 땅에 방금 묻은 여자의 숨겨놓은 애인으로 오해받기도 했다.

세상에는 깊게, 진지하게 생각할 만한 게 없었다. 무심하게 살면 그만이었다.

그래, 성 정체성에 관해, 그리고 아버지에 관해 무심하자, 그럼 그것으로 그만이지, 생각하며 얀은 잠바의 깃을 세운다. 비를 맞고 서 있는 여러 바와 술집을 지나 집으로 계속 발걸음을 옮긴다. 그때 어떤 젊은 남자가 비를 맞으면서도 뭐가 좋은지 싱긋 웃으며 지나간다. 그의 스마트한 얼굴과 몸매에 얀의 눈길이 머문다. 마음이 설레기도 한다. 들키지 않도록 조심하며 고개를 돌린다. 그 남자를 쳐다본다. 가끔 있는 일이다. 그는 생각한다. 남자와 아버지에 관한 한 자신이 무심한 게 아니라고. 무심한 척하는 데에 익숙해진 것일 뿐이라고.

얀은 비를 맞으며 계속 걷는다. 조금만 걸으면 집이 나온다. 얼마 전 일요일에 CSD축제가 있었다. 그날 동성애자를 위한 바와 클럽, 카페와 사우나, 백화점 등이 몰려 있는 루돌프 거리와 구도심의 거리를 지나 쾰른 대성당 앞으로 150대 정도의 게이 행렬차가 지나갔다. 비가 오는데도 불구하고 무지개색의 깃발을 든 게이들이 손에 손을 잡은 채 키스를 나누며 행렬차를 따라갔다. 행렬차 위에서는 무지개색의 우산을 쓴 게이가 무지개색의 팬티만 입고 군중을 향해 손을 흔들었다. 윤락가, 또는 사회의 그늘진 곳이 아니라 대성당 앞의 넓은 거리를 머리에 토끼 모양의 머리띠를 두른 게이 커플이 시시덕거리며 걸어가고 있었다. 각국에서 몰려온 수십만의 방문객들이 북적거렸다.

"아빠, 저기 앞에 걸어가는 경찰관 아저씨 말이야, 게이처럼 옷을 입은 거야 아니면 진짜로 게이야?"

그날 얀은 큰 딸의 손을 잡고 시내에 나가 개방적인 그들의 행동을 부러움 가득한 눈으로 바라보고 있었다. 건물의 발코니에 많은 이성애자가 나와 게이의 모습을 내려다보았다. 밝고 즐거운 분위기는 전염성이 강해 딸은 쿵쾅거리는 음악에 맞춰 홍겹게 몸을 흔들어대었다.

"당연히 진짜 게이지. 네가 고기 음식을 좋아하고 네 동생이 야채볶음을 좋아하는 것처럼 고기를 좋아하는 경찰이 있고 야채를 좋아하는 경찰도 있어. 그렇듯 남자 경찰관 중에는 남자를 사랑하는 사람도 있고 여자를 사랑하는 사람도 있지."

얀은 천진난만하게 묻는 딸에게 약간 의도적으로 대답했다.

"내가 고기를 좋아하지만 엄마가 고기만 먹으면 몸에 안 좋다고, 야채도 좀 먹으라고 하잖아? 그럼 내가 조금 먹잖아? 그렇듯 저 경찰 아저씨도 남자만 사랑하면 안 좋다고 누군가가 말하면 여자를 사랑하게 되나?"

"고기만 먹으면 몸에 안 좋은 게 사실이야. 의학적으로도 그렇게 밝혀졌고. 특히 너처럼 어릴 때는 골고루 먹어야 하지. 하지만 남자가 남자를 사랑하는 건 몸에 안 좋은 것이 아니야. 나쁜 것도 아니고, 또 이상한 것도 아니지. 병은 더더군다나 아니고 말이야. 좋아하고 사랑하는 취향이 보통의 남자와 다를 뿐이야."

"좀 어려워, 아빠."

"그래, 좀 어려울 거야. 그러니까 넌 그냥 그런 사랑도 있다는 걸 알고 있으면 돼. 아빠가 엄마를 사랑하고, 엄마가 아빠를 사랑하는 것과 똑같이 말이야."

"응, 알았어. 근데 왜 오늘 많은 사람이 한꺼번에 나와서 놀고 있는 거지?"

"일 년에 한 번쯤은 아무 생각 없이 실컷 놀아도 되지 않을까?"

"아, 그렇겠다. 내가 생일에 친구들을 불러서 잔치하는 것처럼."

"바로 그거야!"

피곤하십니까? 어디론가 떠나고 싶으세요? 금전적으로 힘드신가요? 등의 문구가 적힌 플래카드가 건물과 건물의 유리창에 붙은 채 비를 맞고 있다. 1952년에 프레드가 걷던 쾰른의 거리에 걸려 있던 '약사를 믿으세요' 라는 플래카드처럼.

그 시대의 많은 사람이 약사에게 믿음을 주어버렸듯 얀도 피곤할 때 타 마시는 비타민이나 어디론가 훌쩍 떠나는 여행지에다가, 대출을 받을 수 있는 은행에다가 믿음 전부를 주어버리고 싶다.

하지만 그 당시에 약사의 말을 믿고 두통약을 복용한 많은 임신부가 두 팔이 짧은 기형아를 낳았듯이 이 세상에 무엇을, 누구를 믿을 수 있을까. 그는 아내의 사랑조차 믿을 수가 없다. 그가 아내의 사랑을 믿고 자신의 성 정체성에 대한 이야기를 털어놓는다면 아내는 어떤 표정을 지을까? 실망하여 그를 떠나버리지나 않을까?

얀은 동료 편집자, 마티아스가 부럽다. 다니엘의 부모가 그랬듯 그의 부모 또한 동성 파트너인 다니엘을 인정해주었다.

마티아스는 마음이 여리다. 누군가, 특히 남자가 슬퍼하면 위로해주느라 정신이 없다. 그의 여린 마음과 바람기를 가끔 구분하기 어려운 게 사실이다. 줄리아나 일로 아버지와 통화한 날, 여전히 엄하고 딱딱한 아버지의 목소리에 얀은 퇴근길에 혼자 술을 마셨다. 많이 마셨다. 술에 취해 거리를 헤매고 다녔다. 그러다 보니 마티아스의 집 앞에 서 있었다. 벨을 눌렀다. 마티아스가 그를 부축해 집으로 올라갔다. 얀은 한 계단 한 계단 오를 때마다 비틀거리다가는 정신이 들고, 비틀거리다가는 정신이 들었다.

얀은 소파에 앉아 마티아스가 내주는 시원한 물을 마셨다. 그러다 자신도 모르는 사이에 주르륵, 눈물을 흘렸다. 깜짝 놀란 마티아스가 아무 말 없이 그를 안아주었다. 그의 품에 안겨 엉엉 소리를 내며 우는 얀의 등을 마티아스가 한참 동안 쓸어주었다. 휴지를 뽑아 눈물과 콧물을 닦아주기도 했다. 그러다 얀의 입술에 키스하려고 했다. 터놓고 이야기할 사람이 한 명이라도 있으면 좋겠다, 싶은 생각에 얀은 순간 술기운을 핑계로 무너지고 싶었다. 그의 키스를 받고 싶었다. 그런 한편, 내가 어떻게 해서 이룩해놓은 평화인가, 싶은 생각에 멈칫했다. 그의 입술을 피해 얼른 고개를 숙였다.

"마티아스, 날 안아주어서, 또 위로해주어서 참 고마워. 하지만 이건 아니야."

"한번 시도해보는 건 어때?"

"아니야. 이건 아니야. 난 그저 집안일 때문에 많이 우울했을 뿐이야."

"오케이."

마티아스가 고개를 끄덕였다. 그의 애인은 출장 중이었다.

얀은 집에 돌아온다. 밥을 먹으며 아내에게 오늘은 꼭 운을 떼자, 생각한다. 아내를 만난 이후 지금까지 별러온 생각이다. 사무실에서도 계속 별렀다. 벼르는 내내 그의 머릿속에 상관에게 돈을 꾼 프레드가 허름한 여관에서 마침내 아내를 만나는 장면이 떠올랐다. 오랜만에 만났지만 서로 등을 돌린 채 침대에 누워 벽만 바라보는 장면이.

내 쪽으로 돌아누우면 좋겠어, 우리는 아주 가끔 보니까, 프레드가 말한다.

그냥 이렇게 있을래, 이게 좋아, 캐테가 대답한다.

그래, 시간이 좀 필요하지.

당신이 집에 돌아오지 않았으면 해. 우리가 서로를 향해 고함지르는 데에 분명 오랜 시간이 걸리지 않을 거야. 아, 그러고 싶지 않아. 그리고 나, 더 이상 당신을 만나러 오지 않을 거야. 내 말, 듣고 있지?

응, 왜 그러려는 거지?

나는 창녀가 아니니까. 돈을 아끼기 위해 부서진 어느 집의 복도에서, 또 빈 들에서, 또 허름한 여관에서 섹스하고 집으로 돌아가는 내 기분이 어떤 줄 알아?

그러니까 당신, 우리, 헤어지자는 말을 하는 거야?

응, 그게 나을 것 같아. 난 동네 사람들의 수군거림이 싫어. 그들은 당신에게 다른 여자가 생긴 줄 알아. 프레드, 아이들이 자라고 있어.

아니야. 내게 다른 여자는 없어. 당신이 잘 알잖아? 말하며 그가 아내의 어깨에 손을 올린다. 그런 다음 아무 말도 하지 않는다. 그녀는 등을 돌린 채 가만히 있다. 그러다 가방을 열고 담배를 꺼내 입에 문다. 그가 그녀의 얼굴을 쓰다듬는다. 그녀의 눈물이 만져진다. 그는 다시 아무 말도 하지 않는다. 대신 그녀의 손을 잡는다.

맞아, 나는 당신을 잘 알아. 너무 잘 알아서 탈이지. 당신은 당신에 대해 잘 알지 못하는 여자와 사는 게 더 나을 거야. 사랑하는 사람끼리는 결혼하지 말아야 해, 손을 잡힌 채 가만히 있던 캐테가 말한다.

나는 당신을 사랑해, 캐테. 당신은 내 마음을 움직인 게 아니야.

날 돌아버리게 했어.

나도 당신을 사랑해. 당신은 참 좋은 '자식'이거든. 하지만 가끔 난 당신을 두들겨 패주고 싶어.

사랑한다고 말해줘서 고마워. 날 사랑하느냐고 당신에게 묻기가 겁났어.

우리, 예전에는 3분에 한 번씩 서로에게 물어봤지?

오랫동안 그랬지.

그래, 오랫동안 그랬어. 하지만 헤어지자는 말은 취소하지 않겠어.

이제 갈 거야?

응.

프레드는 아내를 배웅해주기 위해 버스정류장으로 간다. 폭격을 받아 폐허가 된 대성당이 흉측한 모습으로 우뚝 서 있다. 그와 그녀, 둘 다 아무 말 하지 않는다. 구원을 갈구하는 그들에게 성당 또한 아무 말 하지 않는다. '나는 평생 아침 식사를 함께할 수 있는 여성을 찾고 있었습니다, 당신이 바로 그 여성입니다'라는 그의 프러포즈에 감동 받아 결혼한 캐테는 아이들이 걱정돼 남편과 아침을 먹지도 못한 채 집으로 돌아간다.

오랜만에 만난 부부가 아무 말 없이 헤어지는 장면이 밥을 먹는 와중에도 떠올라 얀은 불안하다. 하지만 그는 오늘 아내에게 꼭 운을 떼고 싶다. 그저 한번 털어놓고 싶다. 하지만 쉽지 않다. 돈을 꾸기 위해 상관에게 전화하던 프레드처럼 그의 이마에 식은땀마저 나려고 한다. 괜찮을까? 이해해줄까? 아니면 기막혀하며 내게서 떠나려고 할까?

*

"요즘 물건이 다른 업체로 많이 오더 되고 있는 거, 눈치채셨죠? 한국에 한번 들어오셔야겠는데요? 얼굴을 익히고 나면 일이 조금 수월해질 테니까요."

한국의 K 회사 구매부 김 과장이 전화를 걸어 은근한 목소리로 말한다.

"귀사에 물품을 댄 지 10년이 넘었습니다. 저희를 믿고 계속 이용해주시기 바랍니다."

"한번 들어오시면 상무님도 만나게 해드릴게요. 이번 건도 제가 상무님께 잘 말씀 드려보겠고……."

'나보고 더러운 짓을 하라고? 싫어, 죽어도 못해. 어디 두고 보자, 내가 죽더라도 그냥은 안 죽을 테니까, 한 방 치고 죽을 테니까', 기혼은 벼르면서도 말은 부드럽게 한다.

"이번 문의 건, 저희가 기브 업, 하겠습니다. 최선을 다했지만 역부족이네요. 경쟁사회에서 어쩌겠어요. 좋은 조건을 가진 쪽으로 오더가 넘어가는 거지요. 저도 10년 넘게 일하면서 그 정도는 배웠습니다."

"너무 빳빳하신 게 아닌가 몰라."

언젠가 굽히겠지, 생각하는지 김 과장이 능글거린다.

"오해 없으시기 바랍니다. 힘이 있는 사람은 제가 아니라 구매부니까요. 제가 빳빳해서 그러는 게 아니라, 또 한국으로 출장가기 싫어서 그러는 게 아니라, 제가 출장을 가면 그 경비를 물건값에 첨가해야 하기 때문에 그러는 거지요."

'머리에 피도 안 마른 자식, 네가 지금 어떤 회사랑 짜고 해먹는지 모르겠다만 10년 넘게 박혀 있던 돌을 단칼에 쳐내기는 힘들걸?' 기혼은 계속 벼른다.

"아, 사장님도 오해 없으셨으면 싶네요. 저희, 어떤 회사를 선호하는 게 아닙니다. 조금이라도 싸게 구입하려고 비교견적을 받는 거지요. 또 얼굴을 한번 봐야 친밀감이 생겨서 일의 진행이 순조로울 거 같아 말씀드린 거고요."

"네, 그럼요."

'비교견적 같은 소리 하고 앉았네, 생산부에서는 물건이 늦게 들어와서 난리라던데 지금 무슨 비교견적을 해? 별거 아닌 건을 여러 회사에다 문의하고 견적을 받으니까 구매부의 일 진행이 늦어지고, 그러니까 생산부에서는 난리가 나는 거지. 뭐? 싸게 사기 위해서 그런 거라고? 웃기고 있어.' 그는 콧방귀를 뀌며 전화를 끊는다. 각각의 회사에 대한 의존도를 낮추는 게 관건인데 10년이 넘도록 그게 안 되네, 아, 갈수록 쉽지가 않아, 생각하는데 아내가 끼어든다.

"당신은 사업에 있어서는 비교적 침착하게 행동해. 얜에게도 좀 그렇게 하지 않고……."

"자식 놈과 사업이 같은가? 이윤을 바라고 자식을 키워?"

"이윤을 바라지 않으니까 사업보다 더 편한 마음으로 얀을 대할 수 있잖아."

"아, 글쎄 사업은 사업이고 자식은 자식이라니까!"

'그놈이 완전히 내 뒤통수를 쳤어, 남자친구를 데리고 와서 함께 잤다구, 살다 살다 기가 막혀서 원……'이라고 터놓고 싶지만 그는 참는다.

"여보, 우리 얀이 어렸을 때부터 섬세하고, 남 배려를 잘하고, 유달리 정이 많았잖아. 사춘기 때 여자문제로 골치를 썩이거나 공부를 등한시하거나 하지도 않았고 말이야. 난 당신이 왜 얀에게 그렇게 차갑게 구는지 모르겠어. 걔, 일하느라 정신없는 와중에도 가끔 내게 전화를 걸어 공허하다고 말해. 마음속에 커다란 구멍이 나 있는 거 같다고, 그 구멍으로 찬바람이 드나드는 거 같다고 말이야."

"걔가 그렇게 말하는 게 나 때문이라는 거야? 뭐, 구멍? 남자 새끼 몸에 구멍이 나 있다고? 내 참, 말 되네."

"그게 대체 무슨 소리야? 왜 그런 식으로 말하지?"

"내 말은, 아버지가 아들에게 엄하게 굴 수도 있다는 거야. 그래야 그놈이 조금이라도 더 사내다워질 테고!"

얀이 기숙사로 돌아간 다음 둘은 언제나 비슷한 대화를 주고받았다. 기혼이 얀과 살갑게 지내기라도 하는 날에는 부부 사이에 나눌 말이 하나도 없을 것만 같다.

"여보, 이민 2세 아이 중에 고등학교를 못 마친 애들도 많아. 결혼에 실패한 애들도 있고, 심지어 제 아버지를 때리는 놈들도 있어. 자살한 아이도 있다고 해. 다들 말을 안 하고 있어서 그렇지 어느 집에나 문제가 있어. 얀 정도면 됐지, 당신은 뭘 더 바라는 거지? 걔가 의사가 되지 않아서? 판사가 되지 않아서? 도대체 왜 그렇게 불편하게 굴어? 둘 사이에 혹시 나 모르는 무슨 일이 있었던 거 아냐?"

"아, 그만. 일은 무슨 일. 근데, 당신은 왜 그렇게 항상 아들 편이지?"

"당신이 강하니까. 겉보기에 어쨌든 당신이 얀보다 강해 보이니까. 아까도 말했지만 걔, 감성이 풍부하고 섬세해서 여자 친구들이 많았잖아? 한때 여자들이 동시다발적으로 사랑을 고백해 거절하느라 힘들다고도 했어. 그게 다름 아닌 그 아이의 성정이야. 차갑고 엄하게 군다고 걔가 남자다워질 거 같아? 아니야. 그 아이인 그대로 받아줘야 해."

울라는 말은 그렇게 하지만 석탄 즙처럼 까만 땀과 눈물을 석탄 위에다 뚝뚝 흘리며 일한 남편이라는 걸 잘 알고 있다. 지금까지도 그는 가끔 신음을 지르며 잠에서 깨어나고는 한다. 깨어나서는 멍한 눈으로 주위를 둘러보다가 가슴을 쓸어내리며 말한다. 다행이야, 여기가 갱 속이 아니라서 말이야, 사형에서 무기징역으로 감형을 받은 느낌이네, 라고. 남편은 그리 강하지 않다. 강한 척할 뿐이다.

"그 자식, 도대체 속마음을 알 수 없는 음흉한 놈이야."

좋은 기억이건 나쁜 기억이건 사라지기도 하고 희미해지기도 하는데 그에게 그날의 기억은 3도 화상과 같다. 예전에 그는 지열 때문에 웃옷을 벗고 탄을 캐다가 천장에서 떨어지는 날카로운 석탄 덩어리를 피하지 못해 어깨와 등에 큰 상처를 입었다. 지금은 얀 때문에 그의 마음에 석탄 문신보다 진하고 깊은 흉터가 졌다.

"걔가 겸손하고 배려심이 많아서 그렇지 음흉한 아이는 아니야."

"그만하자. 다 내 죄지."

사실 얀과 이 정도의 사이를 유지하는 건 아내 덕분이다. 그의 성격대로라면 그의 집에는 아무도 찾아오지 않을 것이다. 그와 얀, 그와 며느리, 그와 손녀, 그와 상현, 그와 희돈 사이에서 아내의 마음고생이 적지 않았다는 걸 그는 알고 있다.

"죄가 아니야. 당신이 마음을 조금만 바꾸면 돼."

사람의 한평생이란 다름 아닌 성격과의 싸움인 듯하다. 남편 또한 다르지 않다. 얀에게 별다른 감정은 없을 것이다. 하나뿐인 자식 아닌가.

"불편하면 불편한 대로 대충 사는 거지 그걸 바꾸고 어쩌고 할 여력이 없어. 당신은 얀이랑 예전부터 잘 통했잖아? 걔가 쇼핑하는 걸 지루해하지 않는다고 나 대신 항상 얀을 데리고 다녔잖아? 그렇게 살던 대로 살면 되는 거야!"

울라는 착하다. 하지만 목소리가 분명해 기혼의 머릿속에 안락하게 들어 있는 생각을 가끔 교란시킨다. 다행인지 어쩐지 아내와 다툴 때마다 그는 조금씩 다른 방향으로 생각하게 되는 게 사실이다. 단지 표현을 안 할 뿐이다. 그건 채색의 힘을 가진 시간의 붓질 때문인지도 모른다. 동성애, 라는 것에 대해서도 처음에는 생각하기조차 싫어 길길이 날뛰었지만 시간이 지나자 그게 대체 어떤 건지 알아야 할 것 같기도 하다. 울라가 늘 말하는 대로, 얀은 세상에 단 하나뿐인 아들이 아닌가! 하지만 안다고, 더 나아가 이해한다고 용납하거나 포용할 생각은 추호도 없다.

*

며칠이 지난다. 기혼은 혈압약을 타러 병원에 간다. 대기실에서 의사의 호출을 기다리며 잡지를 읽는다. 하필이면 거기에 게이 아들을 둔 부부의 대화가 실려 있다. 게이의 아버지는 기혼처럼 삐딱한 시선으로, 게이의 엄마는 울라처럼 모성애와 이해심이 충만한 시선으로 아들을 바라보고 있다.

"게이가 뭐지? 여자처럼 보이는 남자인가?"

"어디선가 읽은 그대로 말해볼게요. 신체의 성과 심리적인 성은 같은데 좋아하는 성이 같지 않으면 이성애자예요. 신체의 성과 심리적인 성은 같은데 좋아하는 성이 같으면 게이고요. 신체의 성과 심리적인 성이 같지 않으면 트랜스젠더예요."

"게이는 남자만 보면 성욕을 느낀다던데 우리 아들도 그런 건가?"

"여보, 그런 말은 이성애자인 남자가 여자만 보면 성욕을 느낀다는 말과 똑같아요. 인간 전체를 성적 대상으로만 보는 거지요. 게이의 성적 지향성이 여자가 아닌 남자라고 해서 성욕이 강하지는 않아요. 그저 이성애자들이 이성에게 성욕을 느끼는 정도로만 보면 돼요."

"하지만 내가 군대에 갔을 때 그런 놈이 있었어. 내 친구 중에는 회사에서 그런 놈을 보았다고 했고. 내 아들이 그렇다고 생각하면 끔찍해."

"게이라고 아무 남자나 건드리지 않아요. 게이에게도 취향이 있으니까요."

"취향이 있는 것들이 왜 그런 행동을 하는 거지?"

"그런 사람은 게이가 아니라 성적 약탈자예요. 군대나 회사, 운동부나 감옥 안에서 일어나는 성폭행이나 성추행의 가해자들은 성욕이 극도로 억압된 사디스트들이지요. 그들은 지배감을 느끼기 위해 남자고 여자고 가리지 않고 강간을 해요. 직위나 특권을 이용해 연인 관계가 아닌 주종 관계를 원하지요. 성적 약탈자에게 반항하면 가혹행위까지 당한다고 해요. 게이들은 그러지 않아요. 게이에 대한 사회의 삐딱한 시선을 잘 알기 때문에 어지간해서는 위험한 짓을 하지 않지요."

"남자가 남자를 성추행하고 강간한다고? 연인 관계가 된다고?

세상 참 살다 보니 별일이 다 있네, 그래."

"남녀 중 남자들이 성적 공격성을 가지고 있어요. 거기에 게이가 개입되면 자신의 남성성이 훼손될 수도 있다는 무의식적인 두려움이 혐오와 거부감을 유발하지요."

"당신은 어떻게 그렇게 잘 알고 있지? 당신도 그런 성향이 있는 건가? 우리 아들이 당신을 닮은 거야?"

"아니에요. 당신이 거부했기 때문에 나 혼자 상담을 받으러 다녔어요. 여기저기에 실린 기사도 많이 읽었고요. 우리 아들에 관한 일이라 마냥 거부하고 외면할 수가 없었어요. 외국인이 그렇듯 동성애자도 소수라서 불이익을 당하는 경우가 많아요. 외국인을 이해하는 가장 빠른 길은 그들을 개인적으로 사귀는 거라고 했어요. 그들의 언어와 문화를 조금씩 이해하다 보면 자연히 거부감이 사라지니까요. 동성애도 마찬가지예요. 마음을 열고 대화해야 해요. 우리 아들이에요."

"난 그렇게 못 해. 남들이 게이 아들을 가진 날 어떻게 보겠어?"

"그래도 당신, 내가 말하는 걸 자꾸 들어서 이제 조금 거부감이 줄어들었잖아요? 예전에는 그것에 대해 말도 못 꺼내게 하더니 이제는 대꾸도 하고, 질문도 하고 말이에요."

"그렇긴 해. 하지만 정말 마음에 안 드는 게 있어. 게네는 왜 그렇게 튀어 보이게 행동을 하지?"

"이성애자 위주인 사회에서 애인을 자연스럽게 구하기 어려운 성적 소수자들의 경우, 대놓고 상대방을 찾고 또 자신의 성욕을 표현하는 경우가 많지요. 대놓고 이야기하지 않으면서 암묵적으로 행해지는 이성애자들의 섹스어필 룰과 행태가 달라 튀어 보일 뿐, 게이들이 항상 성욕에 굶주려있지는 않아요."

"게네들, 정말 항문으로 섹스하나?"

"게이들은 바지를 내리자마자 항문에 페니스를 삽입한다고들 알고 있지만 그렇지 않아요. 이성애자가 섹스하기 전에 샤워하거나 그 부분을 깨끗이 씻듯이 게이들도 섹스하기 전에 관장하고, 항문 근육을 부드럽게 하는 등의 절차를 밟아요. 그런 절차를 카메라에 담으면 지루하고 지저분해 보이니까 생략하고 직접 본론으로 들어가지요. 그래서 사람들이 착각하는 거예요. 뭐, 그렇게 항문섹스를 하는 커플도 있지만 그게 높은 비율은 아니라고 해요. 25퍼센트 정도 된다나? 그런 섹스가 꼭 게이들의 목적은 아니에요. 손을 만지고 키스하며 스킨십만 즐기는 게이 커플도 많아요."

"하여간 난 동성애라는 말을 입에 올린다는 것 자체가 아직 불편해."

"이성애자들 입장에서 게이가 굉장히 불편하듯 동성애자들 입장에서도 이성애자들의 사랑과 이성애자들의 애로비디오 등이 불편하다고 해요. 이성애자가 다수인 세상이라서 소수인 동성애자가 비정상으로 보이는 건 당연하지요. 하지만, 내가 내내 강조하는 것은 그건 비정상이 아니라 다른 거예요. 성에 대한 취향의 차이를 인정해주어야 해요."

"아, 그만! 골치 아파."

"Don't Ask Don't Tell, 당신이 방금 말한 대로 묻지도 않고 말하지도 않는 게 한때 미국 군대의 정책이기도 했지만 그것 때문에 소송을 당하는 경우가 많아 이제 철회했다고 해요. 자꾸 묻고 자꾸 말하면서 자꾸 변해야 해요."

"그래? 그럼 또 하나 물을게. 동성애는 성적인 쾌감이 크다고, 그래서 중독성이 강하다고 하던데, 그게 사실이야?"

"동성이니까 서로의 성감대에 대해 잘 알고 있고, 오르가슴에 도달하는 과정이나 시간도 비슷하기 때문에 그럴 수는 있어요."

"적당한 치료와 기도를 통해 다시 이성애자로 돌아올 수 있다고도 하던데?"

"많은 종교 계열의 단체들이 그런 주장을 하지만 그것처럼 터무니없는 주장은 없어요. 누가 누구에게 사랑을 느끼는 건 전적으로 개인의 인권에 관한 것이에요. 그것을 강제하는 건 인권침해라고요. 이성애자들의 독재, 이성애자의 제국주의예요! 동성의 섹스만 언급하지 동성의 사랑에 대해서는 아무런 언급도 하지 않잖아요? 법의 보호 없이 사회의 냉대를 무릅쓰고 수십 년 동안 사실혼 관계를 유지해온 동성 커플들의 숭고한 사랑에 대해서는 아무 언급이 없다고요! 그 어떤 누가 아닌 바로 당신 아들의 인권에 관한 일이에요. 근데 당신은 왜 그렇게 질색만 하는 거죠?"

"……."

"왜 그렇게 비아냥거리느냐고요?"

"……."

"왜 용납하고 포용하지 않느냐고요?"

"……."

기혼은 손에서 잡지를 내려놓는다. 흠, 흠, 헛기침하며 주위를 한번 둘러본다. 그도 사실 할 말이 없다. 오늘따라 왜 이리 오래 걸리는 거야, 중얼거리며 읽고 난 잡지를 탁자 저쪽으로 슬쩍 밀친다.

*

동성애에 관한 한 아버지의 선입견은 고지식하면서도 강건하다. 당신의 시야가 1미터가 아니라 100미터인 줄 아는 아버지에게 얀은 감히 한마디도 하지 못한다. 아버지의 좁은 시각은 보다 적은 돈으로 방을 구하려는 것과 비슷하다. 보다 적은 돈으로는 보다 어둡고, 보다 더럽고, 보다 비좁은 방을 구할 뿐이다. 오늘은 무슨 일이 있어도 안나에게 고백을 해야지, 결심한 지 어느덧 일주일이 지났다. 다음 날 얀은 한국으로 떠난다. 그는 다시금 단단히 결심을 하고 일찍 집에 돌아온다.

"안나, 어디 있어?"

얀은 저녁을 먹은 후에 계속 안나를 찾는다. 싸움 아닌 싸움을 하고, 화해 아닌 화해를 하고, 길 없는 길을 걷는 듯 막막함에 사로잡히게 하는 아버지가 아닌 그녀의 곁이 지금 그에게 필요하다. 그는 빨래를 마친 그녀 옆에 서서 함께 널어준다. 마른 옷은 함께 개준다. 그녀가 딸에게 책을 읽어주면 그 사이에 끼어 함께 듣는다. 이런저런 의견을 덧붙이고 장난까지 친다. 그녀가 세수할 때 옆에 서서 수건을 건네준다. 그 스스로의 판단에 의하면 지금 자신은 70퍼센트는 동성애자, 30퍼센트는 이성애자이다.

"당신, 내 뒤를 쫄쫄 쫓아다니는 게, 강아지 새끼 같아."

"당신이 안 보이면 불안해. 어제도 당신이 뒷정리하느라 늦게 침대에 들어왔지? 그때, 나, 깜빡 잠이 들었는데, 당신에게 이혼당하는 꿈을 꾸었어. 나 대체 왜 이러냐?"

"왜 그러기는? 당신이 어디서 나 같은 여자를 만나겠어?"

얀이 가끔 젊고 예쁘장한 남자를 몰래 쳐다본다는 걸 모르는 안나가 웃으며 말한다.

얀은 침대에 눕는다. 눈 질끈 감고 그냥 말해버리자, 다시 마음을 먹는다. 오늘 하루도 정서불안 상태였다. 고백의 시간이 다가올수록 점점 더 불안해진다. 그는 침실의 불을 끈다. 아내가 복도의 불을 끄고 침대에 들어온다. 그는 아내의 머리를 자신의 팔 위에 올려놓는다.

안나는 그와 같은 기숙사의 다른 층에 살던 여대생이었다. 함께 학교에 가고, 함께 점심을 먹고, 도서관에서 함께 공부를 하고, 함께 영화를 보거나 산책을 하며 둘은 오랫동안 사귀었다. 그녀가 옷을 사거나 신발을 살 때 얀은 기꺼이 따라가 몇 시간이고 지루해하지 않고 진심으로 의견을 말해주었다. 상냥한 말투로, 때로는 무덤덤한 표정으로. 살갑기도, 때로는 시큰둥한 표정으로. 3년을 넘게 사귀어도 얀이 먼저 프러포즈를 하지 않자 안나가 그의 눈치를 보기 시작했다.

어느 날 함께 저녁을 먹고 계단에서 헤어지는데 평소처럼 내일 보자, 라는 인사 대신 안나가 그의 목을 끌어안았다. 키스했다. 얀도 그녀에게 짧게 키스했다. 자신도 모르는 사이에 손이 그녀의 가슴에 가 닿았다. 그녀의 손이 그의 바지로 내려갔다. 그날 밤 그는 그녀의 방에서 잤다. 페니스가 빳빳해졌지만 사정을 해야 할 순간이 되자 마음이 위축되었다. 그는 얼른 화장실에 들어가서 해결하고 나왔다.

"얀, 왜 그래?"

그런 일이 몇 번 더 있자 안나가 물었다.

"아, 저기…… 침대보가 지저분해질까 봐……."

"아이, 별걱정을 다하네. 괜찮아. 침대보야 빨면 되지. 그냥 네가 하고 싶은 대로 해."

안나가 그를 쓰다듬으며 말했다. 그는 다음부터 편하게 사정했다. 하지만 기계적으로 진행되는 섹스였다. 그런대로 괜찮을 뿐이었다. 젊고 예쁘장한 남자를 상상하며 자위할 때만큼 오르가슴이 느껴지지 않았다. 하지만 안나는 만족해했다.

얀이 석사를 마치고 R 프로덕션에 취직되던 해, 둘은 결혼했다. 큰딸은 이제 7살이고 작은딸은 5살이다. 안나는 출산 때문에 공부가 늦어져 올해 겨울에 석사를 마칠 예정이다. 섹스는 언제나 안나가 리드했다. 그녀가 가끔 얀의 입속에 혀를 집어넣는데 그렇게 좋은 느낌은 아니었다. 얀은 한 번도 그녀의 성기에 혀를 대지 않았다. 그녀와 섹스하면서 그는 거리에서, 또 잡지에서 본 해사하게 웃고 있는 남자의 얼굴과 몸을 상상했다.

그때마다 그는 난 결혼했어, 아이도 있어, 중얼거리며 자신을 세뇌시켰다. 하지만 본능은 어쩔 수 없어 가끔 꿈속에서 그는 어떤 남자와 격렬하게 섹스를 나누곤 했다. 동성을 향한 애정, 그건 그냥 지나가는 감정이 아니었다. 얀은 가끔 인터넷을 통해 동성애 그룹 사이트에 접속했다. 자신과 비슷하게 사는 동성애자의 이야기를 읽다 보면 세상에 나 혼자만 그런 게 아니구나, 싶어 위안이 되었다. 그들에게 또한 위로가 되어주고 싶어 자신의 이야기를 적으려다가 그만두고는 했다. 그뿐이다. 그는 동성애자이지만 이성애자로 살아간다. 그렇게 계속 살아갈 것이다.

얀은 팔 위에 올려놓은 아내의 머리를 쓰다듬으며 잠시 갈등한다. 내가 지금 안나에게 아웃팅을 하면 지금까지의 세월이 거짓이 되는 거야, 그러니까 차라리 아웃팅을 하지 말까? 그게 안나를 더 행복하게 해주는 게 아닐까? 내가 아웃팅을 하면 내일 아침에 우리는 프레드와 캐테처럼 아침도 함께 먹지 못한 채 아무 말 없이 헤어지게 되는 것이 아닐까?

얀의 갈등을 모르는 안나가 그의 팔을 벤 채 가만히 누워있다. 숨소리가 편안하다. 그는 계속 망설인다. 그녀가 고개를 든다. 그에게 키스한다. 손을 내밀어 그의 얼굴을 쓰다듬는다. 그녀는 모든 면에서 액티브하다. 섹스도 그렇고 집안의 대소사의 결정에도 그렇다. 그들은 섹스를 자주 하지는 않지만 섹스할 때면 언제나 그녀가 얀을 자극한다. 그가 잘할 수 있게끔 기운을 북돋아 준다. 그가 만약 남자와 섹스를 하게 된다면 그렇지 않을 것 같다. 그가 리드할 것 같다. 아닌 게 아니라 생각 속에서, 꿈속에서 그는 언제나 상대를 리드한다. 이성애적인 사랑을 하는 남자가 젊고 예쁜 여자들에게 그렇게 하듯이.

"안나, 할 이야기가 있어."

얀은 눈을 찔끔 감고 말한다. 안나로부터 예측하지 못한 말을 듣거나 눈빛을 받을까 봐 두렵다. 아내는 어떤 반응을 보일까? 즉시 헤어지자고 할까? 아니, 혹시 그녀가 자신의 성향에 대해 조금 눈치채고 있는 건 아닐까? 긴장하면 공기가 먼저 알고 콜레스테롤이 쌓인 피처럼 끈적끈적해지는지 그와 그녀의 얼굴 사이에 떠도는 공기가 탁하게 느껴진다.

얀은 동성애 사이트에서 자신과 비슷한 처지의 남자가 올린 글에 달린 댓글을 읽은 다음 아내에게 이야기할 용기를 얻었다. 당신의 아내가 벌써 눈치챘을지도 모릅니다, 그러니까 그녀와 한번 이야기를 나눠보는 것도 나쁘지 않을 것 같아요, 그게 얼마나 힘든 일인지 압니다만.

그는 동성애 사이트를 기웃거리다가 두 번 아내에게 걸렸다. 그때마다 그는 화들짝 놀라 화면을 얼른 아래로 내렸다. 뭘 보다가 그렇게 놀래? 아내가 물었지만 그는 대답하지 않았다. 그때부터 그는 혹시 아내가 자신의 정체에 대해 이미 알고 있는 게 아닐까,

생각했다. 그런 의혹이 배구에서의 토스 역할을 해주어 얀은 몇 달 전부터 아내에게 고백할 기회를 마련하려고 무진 애를 썼다.

얀은 한 달 전쯤, 딸 둘을 엄마에게 맡겨놓고 아내와 조용히 산책하러 나갔다. 하지만 아내에게 고백하기는커녕 자신에게 구차한 변명을 늘어놓기에 바빴다. 지금 우리 둘의 30미터쯤 앞에 사람들이 걸어가고 있어, 그들이 내 목소리를 들을지도 몰라, 그러니까 지금 말하면 안 되지, 그래, 조금 있다가 말하자. 사람들이 사라지고 난 다음에도 그는 생각했다. 나뭇잎을 밟을 때마다 바스락거리는 소리가 나서 내가 목소리를 높일지도 몰라, 그러면 숲 속에 있는 모든 사람이 내 말을 들을 수도 있어, 그래, 다음에 하자.

과민반응 때문에 아웃팅에 실패한 얀은 어느 휴일의 조용한 오후를 택해 아내와 거실에서 커피를 마셨다. 하지만 그때도 상황은 똑같았다. 그가 말하려고 하는 순간 딸들이 번갈아 거실로 들어왔다. 전화가 오기도, 현관에서 벨이 울리기도 했다.

"안나, 말할 게 있어. 당신과 이 문제에 대해 꼭 한번 이야기하고 싶었어."

얀은 깊게 숨을 들이쉬며, 침을 한번 꼴깍 삼키며 말한다. 아내는 조용하다. 다음에 나올 말을 기다리고 있는 듯하다.

"난 지금껏 여자와 관련해 아무 문제도 일으키지 않았어."

"그래서? 왜 갑자기 그런 말을 하는 거지?"

얀의 말에 안나가 긴장한다.

"내가 말한 것 중에 여자, 라는 데에 무게가 실려 있어."

"그럼, 남자와 관련해서는 무슨 문제가 있었다는 거야?"

"응."

둘 사이의 공기가 아까보다 조금 더 끈적해진다.

"대학교에 들어갔을 때 한 남자를 사귀었어."

"그래? 남자들 사이에 흔히 있는, 그런 관계 아니었어?"

"아니야. 그보다 훨씬 진한 관계였어."

얀의 말에 그의 팔을 베고 있던 안나가 갑자기 몸을 일으킨다. 누워 있는 그를 내려다보며 묻는다.

"지금 당신, 어떤 남자와 사귀고 있는 거야?"

"아니야. 나는 남자에게 매력을 느끼지만 그냥 흘깃 쳐다볼 뿐이야. 당신이 몇 번 궁금해했지? 내가 왜 동성애 사이트를 흘끔거리는지? 나만 이런 게 아니구나, 안심하고 싶었어. 그래서 들여다본 거야."

"아…… 당신이 그렇다는 걸 내가 왜 일찍 알아채지 못했을까……."

"왜긴, 내가 숨기기 대왕이기 때문이지. 당신이 내 곁에서 떠날까 봐 겁이 났어. 그래서 말하지 못했어. 당신에게 감추려고 최선의 노력을 다한 셈이지."

"얀, 겁이 나는 건 당신이 아니야. 나야."

"안나, 당신을 사랑해. 항상 당신 곁에 있을 거야."

"미리 약속은 하지 마."

"안나, 그냥, 당신에게 한번 이야기를 하고 싶었어. 더 이상은 아니야."

"내가 일찍 알았더라면 당신을 도와줄 수 있었을까?"

"내가 원하는 건 그 어떤 여자라도 해주지 못해."

얀의 말에 안나가 갑자기 그의 품을 파고든다.

"얀…… 당신을 잃고 싶지 않아."

"내가 얼마나 수줍음이 많은 사람인지 당신, 알지?"

"모험할 생각이 없는 사람이라는 거, 잘 알아. 하지만 불안해. 당신, 내게서 당장 100퍼센트의 이해를 원하는 건 아니겠지?"

"당연하지. 시간이 필요해. 내가 말을 꺼내지 못하고 힘들어했던 만큼의 시간이."

"마음에 드는 남자가 나타나면 당신, 이성적으로 생각하기 힘들어질 거야."

"안나, 여자가 어디에나 있듯 남자도 어디에나 있어. 내가 당신에게 이야기하기 전에도 있었고 후에도 있을 거야. 하지만 난 지금과 똑같을 거야. 정말이야. 내겐 당신만 있으면 돼. 사실 당신 말이 틀린 건 아니야. 마음에 드는 남자가 나타나면 이성적으로 생각하기 힘들어지겠지. 하지만 당신이 알다시피 나, 모험할 생각이 없어. 당신의 신뢰를 잃으면 내가 얼마나 더 힘들어지겠어?"

"당신에게 남자친구가 생기면 우리, 삼각관계가 되는 게 아니네? 당신이 위대한 사랑을 찾은 거네?"

그의 성격상 말을 꺼내기가 얼마나 어려웠을까, 그동안 얼마나 외로웠을까, 싶은 생각이 들지 않는 게 아니었지만 안나는 불안을 숨기지 못해 조금 뾰족하게 말한다.

"안나, 그냥 나 자체 그대로를 받아주면 좋겠어. 나, 절대로 당신을 실망하게 하지 않을게, 응?"

얀은 아내의 머리를 쓰다듬으며 말한다.

"……."

"안나……."

"……."

그녀는 숨만 들이쉬고 내쉴 뿐 아무 말도 하지 않는다.

"안나?"

"……."

안나는 대답을 하는 대신 아까보다 조금 더 바짝 그의 품을 파고든다. 예전 같지 않은 상황이라 그녀는 더 많은 온기와 곁이 필요한가 보다. 그는 계속 그녀의 부드러운 머리카락을 쓰다듬는다. 그러다 손으로 그녀의 얼굴을 들어올린다. 뺨을 쓰다듬는다. 입술에 키스를 한다. 눈물 때문에 그녀의 뺨이 축축하다. 입술에서 찝찔한 맛이 난다. 그는 아내를 껴안는다. 꼭 껴안는다.

고개를 항상 위로!

선이는 해독 다이어트 열흘 만에 5킬로그램이 빠졌다. 일주일째 빠진 그대로이다.

그녀는 전날 미샤의 의견을 받아들여 비키니 수영복을 파는 상점에 함께 갔다. 비키니를 입고 거울 앞에 섰다. 그의 시선이 배 부근에 내려가지 않도록 숨을 멈추고 가슴 부분에 힘을 주었다. 살이 빠져서인지 비키니를 입은 모습이 그리 흉하지 않았다. 그가 엄지손가락을 치켜올렸다. 싸고 예쁜 비키니! 아이들의 요즘 유행어처럼 욜로(yolo)! you only live once! 한 번 살지 두 번 사냐!

선이는 집에 돌아와 비키니에 비누를 묻혀 손으로 조물조물 빨았다. 여러 번 헹궜다. 다시 비누를 묻혀 조물거린 다음 거품이 나오지 않을 때까지 헹궜다. 여러 화학성분이 빠져나가도록 비키니에 해독 다이어트를 시켰다. 그런 다음 쫙 펴서 널었다. 꿉꿉하던 기운이 날아가 뽀송뽀송해졌다. 갤 것도 없는 것을 개 여행 가방에 넣었다. 제발, 제발, 다음날로 다가온 스페인 여행이 비키니처럼 정갈하고 뽀송뽀송한 여행이 되기를 선이는 미이를 재우며 바랐다. 미이가 잠들었다. 선이는 『책 읽어주는 남자』라는 책에 나오는 여자 주인공, 한나의 유언장을 쓰기 위해 책상에 앉았다. 다음 날 제출해야 할 독일어의 마지막 숙제였다.

한나는 36살이고, 승차권 검사원이다. 일을 마치고 집으로 돌아가는 길에 15살인 미하엘이 황달 때문에 담장 아래에서 토하는 것을 본다. 집으로 데려가 더러워진 옷을 벗기고 몸을 씻어준다. 나중에 미하엘이 고맙다는 인사를 전하기 위해 그녀를 찾아가고, 그녀가 옷 갈아입는 걸 몰래 바라보다가 사랑에 빠진다.

미하엘은, 한나의 호칭을 따르자면 꼬마는, 그녀의 요구대로 사랑을 나누기 전에 『전쟁과 평화』, 또는 『에밀리아 갈로티』 등의 책을 읽어준다. 그런 다음 샤워를 함께하고, 사랑을 나누고, 침대에 나란히 누워 있다가 집으로 돌아간다. 그런데 어느 날 그녀가 사라진다. 나중에야 그는 그녀가 문맹이었음을 안다.

8년 뒤에 미하엘은 법학도가 되어 나치의 과거 청산 세미나에 참여한다. 나치 시대 전범들의 재판을 방청한다. 그곳에서 한나를 본다. 강제수용소의 여자 감시원이던 한나는 유대인 여자들을 교회에 가둬놓고 문을 열어주지 않아 불에 타죽게 한 죄목으로 종신형을 받는다. 혹시라도 자신이 문맹이라는 게 탄로 날까 봐 그녀는 남의 죄까지 뒤집어쓴다.

미하엘은 감옥에 들어간 한나를 위해 책을 읽어 카세트테이프에 녹음한 다음 우편으로 보낸다. 감옥의 도서관에서 빌린 책과 미하엘의 목소리를 대조해가며 그녀는 글을 깨우친다. 그에게 편지를 써서 보낸다. 하지만 답장을 받지 못한다.

한나가 사면되기 일주일 전에 둘은 재회한다. 미하엘은 이제 할머니가 된 그녀에게 감옥에서 무엇을 깨우쳤는지 묻는다. 깨우친 게 없어, 죽은 사람은 그저 죽은 사람일 뿐이야, 하긴 내가 글을 깨우치긴 했지, 라고 그녀가 대답한다.

사면되는 날 아침, 한나는 미하엘과 재회한 이후 일주일 동안 읽어온 책을 쌓아놓고 그 위에 올라가 목을 매 자살한다. 그동안 그녀는 나치의 잔혹 행위에 관한 책을 읽었다고 간사가 전한다.

한나의 유품 중에 미하엘의 고등학교 졸업 사진이 들어 있다. 한나는 미하엘에게 유언장을 써놓았다. 그동안 모은 7천 마르크를 수용소에서 살아남은 유대인 아이에게 전해 달라고 부탁해놓았다.

선이가 그 책을 읽으며 집중한 것은 중학교 때부터 지금까지 틈틈이 다루어온 제3 제국, 나치의 왕국에 대한 국민교육적인 것이 아니었다. 그녀와 그녀의 친구들은 지금 주위에서 유대인을 보지도 못하고 산다. 그녀가 집중한 건 한나의 자존이었다. 그녀는 혹시라도 어린 미하엘, 꼬마가 자신의 문맹을 알아챌까 봐 그의 곁에서 떠났다. 문맹이 탄로 날까 봐 종신형을 받았다. 사면 전 일주일 동안 내면의 고민을 하다가 자존의 극대화 지점이자 용서의 희구점인 자살을 선택했다. 한나의 유언장을 다시 쓰기가 숙제였다. 선이는 한나가 되어 미하엘에게 유언장을 썼다.

사랑하는 미하엘에게

네가 이 편지를 읽을 때면 나는 더 이상 이 세상에 있지 않겠지…….

미하엘, 나는 살면서 잘못된 결정을 많이 내렸어. 용서받을 수 없는 일을 하기도 했지. 이제야 후회해. 그때는 사실, 뭐가 어떻게 돌아가는 상황인지 몰랐어. 이렇게 말한다고 해서 내 행동이 용서되는 건 아니겠지? 그래, 나를 정당화하고 싶지는 않아. 하지만 내가 어떤 상황에 처해있었는지 너만이라도 이해해주었으면 해.

아무런 연고가 없는 나의 새 출발을 도우려고 네가 애를 많이 썼는데 이렇게 떠나게 되어 참 슬퍼. 하지만 어쩔 수 없지. 이 세상에 내 자리는 없어. 넌 나를 진심으로 사랑했고, 내가 그렇게 나쁜 짓을 많이 한 사람인데도 불구하고 지금껏 내 옆에 있어주었어. 또한 내게 글을 깨우쳐주었지. 다름 아닌, 인간의 도덕성을 깨우쳐준 거야. 마지막 순간에 깨우친 게 안타깝기는 하지만, 많이 고마워.

미하엘, 언제나 행복하기를…… 널 사랑했어. 표현할 수 없을 정도로, 보고 싶다는 생각을 따로 할 필요가 없을 정도로 네가 보고 싶었어. 앞으로도 계속 보고 싶어 할 거야.

안녕, 꼬마.

너의 한나로부터.

생각보다 유언장이 짧게 써졌다. 선이는 숨을 한번 크게 들여 마셨다가 휴—우— 길게 내쉬었다. 열심히만 하면 되는 줄 알았던 기형과의 사랑을 정리하는 심호흡이었다. 해독 다이어트, 실연 다이어트의 마침표이기도 했다. 기형에게 이제야, 마침내, 결국, 진짜 작별을 고한 듯했다. 그래, 작별은 짧을수록 좋아, 그녀는 생각했다.

전날 밤에 유언장을 쓴 다음 한숨도 자지 않고 짐을 싼 선이는 학교에 다녀온다. 할아버지가 차려놓은 점심을 먹는다. 곧 스페인으로 떠나야 하기에 커다란 여행 가방을 밖으로 내어놓으며 부산을 떤다. 그러느라 건성으로 말한다.

"할아버지, 나랑 미이가 없는 동안 푹 쉬어. 그동안 우리 때문에 힘들었지? 할아버지가 요즘 힘이 없어 보여. 안 그러더니 가끔 짜증도 내고 말이야. 병원에 한번 가봐, 응?"

"이러면서 늙는 거지. 늙으면 자신감이 줄어들어 성질이 조금 칼칼해지는 거고. 그러려니, 생각하고 즐겁게 다녀와."

희돈은 두 주일 동안 선이와 미이를 떠나보내는 게 싫다. 한편 시에 몰두할 시간이 확보돼 완전히 싫지는 않다. 몸도 몸이지만 요즘 가끔 짜증을 낸 것은 시의 진도가 잘 나가지 않기 때문이기도 하다.

"바바라에게 너무 자주 전화하지는 말고. 말을 안 해서 그렇지 바바라, 되게 바빠."

선이는 바바라를 통해 가끔 희돈의 상황을 듣는다. 희돈, 요즘

글 때문에 스트레스를 받는 모양이야, 라고 얼마 전에도 바바라가 말했다. 글? 무슨 글? 선이는 금시초문이라 어리둥절했는데 며칠 뒤에 종이를 모아두는 쓰레기통에서 그의 시를 발견했다.

딸이 교통사고를 당했다 무척 슬펐다
딸의 남자친구도 교통사고를 당했다 너무 마음이 아팠다
아내가 급성정신병에 시달리다 죽었다 매우 가슴이 저렸다

제목이 '슬프고 아프고 저린 기억'이라고 쓰여 있었다. 길지도 않은 시를 읽는 내내 예전에 바바라가 회음부의 실을 핀셋으로 하나하나 뽑아줄 때처럼 찔끔, 찔끔, 눈물이 났다. 예전에 슬픈 일이 있었다고 매 순간 슬픈 생각을 하며 사는 게 아닌데다 할아버지가 워낙 낙천적인 스타일이라 그녀는 그의 아픔을 한 번도 가늠해본 적이 없었다. 그런 그가 시로 그녀의 눈에서 눈물이 나게 했다. 그렇다면 할아버지는 독자의 심금을 울리는 좋은 시를 쓴 것일까? 선이는 고개를 갸웃하며 그때부터 다음 시를 기다렸다. 하지만 지금껏 후속작이 없다.

"그래도 내가 전화하면 바바라가 반가워할걸? 엄마랑 둘이 살다가 이제 혼자가 됐으니 외로울 거야. 고아가 된 거잖아? 내가 가끔 전화라도 걸어줘야 해."

그는 바바라에게 전화해 선이에 대해 가끔 묻는다. 저번에는 물을까 말까, 한참을 망설이다가 용기를 내 물어보았다.

"바바라, 참 이상해. 내 딸이 17살에 아이 받았어. 그때 남자친구를 만나. 손녀도 맞아? 유전? (내 딸이 17살에 아이를 낳아 남자친구를 사귀었는데 손녀도 그래. 이것도 유전인가?)

바바라가 대답했다.

"희돈, 그건 유전이 아니야. 엄마의 상황을 아이가 보통의 상황으로, 자연스러운 상황으로 받아들인 거야. 선이의 엄마가 선이를 키우면서 열심히 공부했지? 그것도 선이가 자연스레 배운 거지."

"그렇군! 바바라, 난 선이와 미이를 보고 있으면 가끔 진이가 선이를 안고 있는 것처럼 느껴져. 그래서 깜짝깜짝 놀라."

"아, 그럴 수도 있겠다."

"혹시 선이가 말해? 미이 아빠에 대해?"

"아니, 말하지 않았어. 내게 다 털어놓는 듯하지만 절대로 말하지 않는 몇 가지가 있어. 난 캐묻지 않지. 그것도 선이의 의견 중의 하나니까. 그걸 존중해줘야지."

"맞아. 내가 바바라에게 참 많이 배워."

미샤의 엄마가 선이와 미이를 공항으로 데려가기 위해 선이의 집에 온다. 미이가 미샤의 엄마를 보고 방글방글 웃는다. 모든 사람이 제게 첫눈에 반하게끔 하는 데에 미이가 재미를 붙인 듯하다. 미샤 엄마와 할아버지가 인사를 나눈다. 선이는 차에 오른다. 할아버지에게 손을 흔든다. 군데군데 회색의 때가 묻은 서민아파트 앞에서 할아버지가 구부정한 모습으로 손을 흔든다. 선이가 차창을 내리고 재빨리 말한다.

"할아버지, 스페인에서 전화하는 거, 비싸. 그래서 자주 못할 거야. 섭섭해하면 안 돼, 알았지?"

"응. 무소식이 희소식이지. 아무 걱정하지 말고 그저 재밌게 놀고 와."

공항이다. 아이의 짐과 두 주간의 먹을 것, 옷 등이 들어있는 왕초보 여행자의 가방은 크고 무겁다. 부모를 따라 자주 스페인에 갔던 미샤의 짐은 작고 가볍다. 각각 30, 7킬로그램. 각자 짊어진 삶의 무게 또한 그러할까?

둘이 합쳐 40킬로그램까지 짐을 부칠 수 있었다. 스페인 여행과 짐, 선이는 미샤라는 차에 무임승차라도 한 기분이다. 고마운 한편 자존심이 상한다. 도리가 없지, 내가 잘하는 수박에, 그녀는 생각한다.

비행기가 이륙하기 위해 전속력으로 달린다. 멀리서 보기에 비행기와 새, 잠자리가 가볍게 뜨고 내려앉는 것처럼 보였는데 그게 아닌가 보다. 귀가 먹먹할 정도의 소음과 온몸이 흔들릴 정도의 진동 끝에 비행기가 활주로를 박차고 하늘로 오른다.

남이 보기에 어땠는지 모르지만 선이 자신도 스페인으로 떠나기 위해 지금껏 전력질주를 해온 것 같다. 모든 것이 그러할까? 안간힘을 써야 아기가 태어나고, 시간을 쪼개 열심히 아르바이트해야 비행기 삯을 충당하고, 하룻밤을 꼬박 새야 여행 준비를 철저하게 마치고, 온 힘을 다해 살아야 죽을 수도 있는 것일까? 선이는 할아버지가 건네준 50유로짜리 지폐를 손에 꼭 쥐고 생각한다. 어디다 꿍쳐두었던 것인지 50유로짜리 지폐는 네 번이나 접혀 있었다.

선이가 지불한 비행기 삯 중의 일부는 사실 할아버지에게 드려야 할 돈이었다. 많지는 않지만 그녀가 주는 돈으로 할아버지가 이런저런 소소한 것들을 샀다. 하지만 이번에 그녀는 그동안 모은 돈과 아르바이트로 번 돈을 모두 합쳐 비행기 삯으로 써버렸다.

"괜찮아, 내가 그 돈 없다고 쓰러지냐? 내가 다 꿍쳐놓은 게 있지. 암, 그렇고말고. 또 없으면 어때? 5유로만 있어도 난 한 달 넘게 살 수 있어."

그녀가 양해를 구하자 할아버지가 호기롭게 말했다. 희돈은 지금 아내와 자신의 연금을 합친 것에서 60퍼센트 정도의 돈을 나라에서 받는다. 서민아파트이긴 하지만 살 집이 있다. 노느니 김치와 밑반찬 등을 만들어 생활비에 보탠다.

그녀는 주위의 몇몇 친구들처럼 오래전부터 아르바이트를 하고 있다. 번 돈의 일부를 할아버지의 생활비에 조금 보태고 나머지는 용돈으로 쓴다. 마트의 전단지 780부를 집집의 우체통에 넣는 일이다.

"좋은 경험이 되겠지만, 그 시간에 공부를 좀 더 열심히 하면 어떨까? 나중에 좋은 직장을 잡으면 지금 버는 건 아무것도 아니니까. 아니면 봄이 되면 시작을 하던지."

선이가 아르바이트에 대한 이야기를 처음 꺼냈을 때 희돈은 운동도 되고 돈도 버는 일이니까 굳이 말리고 싶지 않았다. 뿌듯하고 든든하기까지 했다. 하지만 세상에는 공짜가 없다는 걸 그는 잘 알고 있었다. 자신에게 분명 손녀의 뒤치다꺼리를 해야 할 일이 생길 것만 같았다. 그래서 말리고부터 보았다.

"나도 용돈이 작은 대로 아껴 쓰다가 봄이 되면 시작하고 싶어. 하지만 이왕 나온 일, 그냥 할래. 주말에 할 수 있어서 좋아."

선이는 계약서에 사인했다. 전단지를 넣어야 할 거리의 이름과 주소가 적힌 용지, 그리고 전단지 세 묶음이 토요일 13시, 현관 앞에 놓였다.

까맣고 두꺼운 플라스틱 끈으로 단단히 매듭지어진 전단지 세 묶음의 부피와 무게가 장난이 아니었다. 입을 앙다물고, 각오를 단단히 하고 살아가야 할 손녀의 삶이 집 앞에 놓여있기라도 한 듯 희돈의 마음이 편치 않았다. 단단하게 묶인 매듭을 툭, 끊어줄 가위 같은 존재가 되어주지 못하는 것이 안타깝기도 했다.

하필이면 아르바이트 첫날 비가 왔다. 우산을 쓸 수 없을 정도로 바람이 방향 없이 불고 기온마저 떨어졌다. 처음에 우려했듯, 그래서 잠깐 말렸듯 희돈은 손녀의 아르바이트 조수 노릇을 해주어야 했다. 짜식, 봄 되면 시작하랬더니…… 뭐, 오늘 하루만 도와주자…… 그래, 그 유명한 쌍둥이 표는 아니지만 아쉬운 대로 가위가 한번 돼주는 거야…… 그가 전단지 세 묶음을 차 뒤에 실으며 중얼거렸다.

"누가 도와달라고 했나? 냅둬. 내가 혼자 할 수 있어."

선이는 처음이라 걱정했는데 할아버지가 도와주어서 고마웠다. 하지만 그런 내색을 하기는커녕 할아버지를 흉내 내 툴툴거렸다.

한 장 돌리는데 2센트, 즉 30원 정도를 받기에 780부를 다 돌리면 2만 원 조금 넘게 벌고, 그럼 한 달에 9만 원 정도 버는 셈이다. 착취에 가까움에도 불구하고 일을 주선해준 회사에서 감시를 게을리하지 않는다고, 그러니까 대충 전단지를 넣거나 심지어 버려 버리는 등 허튼짓을 하면 안 된다고 주위의 경험자들이 충고했기에 선이는 열심히 돌렸다.

처음에 희돈은 차 안에 앉아서 깜박깜박 졸다가 선이가 전단지를 다 돌리고 오면 차에 실은 전단지를 세어서 넘겨주고, 다시 라디오를 듣다가 선이가 오면 바닥이 미끄러우니까 조심하라고, 주의를 준 다음 전단지를 넘겨주었는데 생각보다 진도가 빨리 나가지 않았다. 그는 선이처럼 잠바에 달린 모자를 뒤집어쓰고 함께 돌렸다.

전단지를 돌리는 사이사이 중간에서 만날 때마다 그가 선이야, 힘들지? 배 안 고파? 목 안 말라? 안 추워? 물었다. 사실은 자신에게 묻는 말이었다. 바람에 전단지가 날아가는 걸 따라가서 잡으며, 다시 날아가지 않게끔 잠바 속에 집어넣으며 선이는 아무 말 없이, 씩씩하게, 열심히, 계속 돌렸다. 그날 둘은 열 손가락이 곱은 채 물에 빠진 생쥐 꼴이 되어 집에 돌아왔다. 옷과 신발에서 뚝뚝 물이 떨어져 마룻바닥이 금방 지저분해졌다.

"선이야, 어떤 사람이, 보지도 않는 이런 전단지, 담부터 넣지 마세요, 버리기 귀찮아요, 호통을 치더라."

"나도 어떤 아줌마가 녹색당에서 전단지 돌리는 거랑 전화로 설문조사 하는 거 법적으로 막으려고 한다더니 언제쯤에나 그 법이 통과되는 거야, 아이 성가셔, 라고 말하는 소리를 들었어. 그렇지만 어떤 아저씨는 어린 게 애쓴다면서 내 손에 5유로짜리 한 장을 쥐여주더라?"

"선이야, 나중에 제발 환하게 불 켜진 사무실에서 일하는 사람이 돼야 해, 응? 따끈한 커피 한 잔을 앞에 두고 일하는 사람이 되어야 한다고, 응?"

"알았어. 꼭 그렇게 할게."

"아이고 되다…… 힘만 들고 돈도 안 되는데 우리, 이쯤에서 그만두는 게 어떨까? 그 시간에 공부를 좀 더 하는 게 어때? 응?"

"한국처럼 고층아파트가 모여 있으면 좋을 텐데…… 아니면 우리가 사는 서민아파트처럼 사람이 좀 많이 사는 곳이라도 좋고 말이야. 독일에는 개인 집이 많아서 시간이 너무 오래 걸려. 그게 탈이지만 뭐, 이왕 시작한 거, 나, 계속할래."

"하긴, 예로부터 우리 한국인은 배달의 민족이었어. 그 조상의 빛난 얼을 한 번쯤 되살리는 것도 나쁘지 않지. 흐흐."

"한국에선 진짜 배달 많이 해서 먹는다며? 짜장면과 피자, 치킨……."

"그런 배달이 아니라 밝은 땅의 민족이란 뜻이야. 아, 그러고 보니 나도 아는 게 좀 있네."

"아, 그렇구나! 참 듣기 좋아! 근데 할아버지, 다음부터는 화장실 먼저 다녀온 다음에 일을 시작해야겠어. 중간에 오줌이 마려워서 혼났어."

"맞아. 나도 중간에 오줌이 마려워서 골치가 좀 아팠다."

"오줌이 마려운데 왜 골치가 아파? 고추가 아프지 않고? 크크."

"이것이 못하는 말이 없어요. 흐흐."

비행기가 구름을 뚫고 태양의 도시이자 피에스타, 축제의 도시인 스페인을 향해 하늘로, 하늘로 오른다. 비행기처럼 선이의 마음도 붕— 뜬다. 어느 사형수에게 마지막 소원을 묻자 스페인의 축제가 끝나면 죽고 싶다고 말했다. 지역별로 색다른 축제가 연중 끊이지 않는 스페인이기에 죽기 싫다는 표현을 그가 우회적으로 한 것이다. 지금의 마음 같아서는 그녀도 스페인의 모든 축제가 끝난 다음에 독일로 돌아가고 싶다.

*

희돈은 선이와 미이가 없어서 조용하고 편한 게 하루면 충분하다. 그렇게 원하던 집필 시간이 남아돌아 주체할 수 없을 지경이다. 시간이 없어서 시를 못 쓴 게 아니었구나, 절감한다.

다시 하루가 지난다. 일어나자마자 그는 미이를 찾는다. 아, 그렇지, 여행을 떠났지, 싶은 순간 집이 텅 빈 듯하다. 그는 거실 소파에 앉았다 일어났다, 선이의 공부방에 들어갔다 나갔다, 냉장고 문을 열었다 닫았다, 안절부절 못한다. 그러다 선화의 사진을 바라본다. 그녀는 사진 속에서 여전히 젊고 예쁘다. 불쌍한 사람 같으니, 그가 중얼거리며 사진 속의 아내 얼굴을 쓰다듬는다. 보고 싶다는 게 진정 어떤 것이라는 걸 알게 해준 여인이다. 여보, 불쌍한 건 당신이야, 혼자 애쓰게 해서 정말 미안해, 그녀가 대답하는 듯하다.

그는 덜덜거리는 차를 끌고 마트에 간다. 배추 20킬로그램과 커다란 무 5개를 산다. 소금과 파, 마늘도 산다. 다른 슈퍼에도 들른다. 그곳에 있는 배추를 몽땅 산다. 또 다른 슈퍼에도 간다.

집에 돌아와 세 번에 나누어 부엌에다 배추 등을 올려놓는다. 김치라도 잔뜩 담가놓아야 마음 편하게 시를 쓸 수 있을 것 같다. 그래, 김치 걱정 때문이었어, 그는 생각한다.

욕조를 닦은 다음 배추를 넣는다. 소금을 뿌려 절인다. 끙, 소리를 내며 허리를 편다. 마늘을 까고 파를 다듬는다. 그 일련의 행동이 마치 슬로비디오를 틀어놓은 것처럼 느리게 느껴진다. 무를 언제 씻고, 또 언제 썰어서 속을 만드나, 싶다. 절여놓은 배추가 산더미처럼 보인다. 마디마디가 쑤신다. 몸살이 오려나, 싶다.

*

스페인에 온 지 나흘째이다. 첫날은 그냥 쉬었고, 이틀째는 바닷가에 누워 해바라기를 하거나, 수영을 하기도 했다. 그날 선이는 비키니를 입었다. 아무도 그녀를 이상하게 쳐다보지 않았다. 오히려 그녀가 다른 사람을 쳐다보았다. 그녀보다 훨씬 뚱뚱한 사람이 비키니로 몸매를 강조한 채 자신감 있게 걸어 다녔다. 폭죽을 바라보며 환호성을 지르는 사람처럼 표정이 밝았다. 미이야, 우리 강아지야, 엄마는 17살에 여기에 왔지만 넌 빵살에 왔어. 넌 계속 이런 식으로 살아, 알았지? 네가 그렇게 살 수 있도록 엄마가 잘할게, 자 약속! 선이가 말하자 그늘에 눕혀놓은 미이가 팔을 버둥거리며 방실거렸다.

수영하다가 햇볕이 강한 시간을 피해 집으로 들어갔다. 들어가는 길에 '태양의 슈퍼'라는 곳에서 야채를 사다가 할아버지의 표현대로 송송 썰어 비빔국수를 만들었다. 미샤가 선이의 살림 솜씨에 연거푸 감탄했다. 태양의 슈퍼에서 사온 재료로 태양의 비빔국수를 만들어 태양의 해변을 바라보며 태양의 발코니에서 먹은 다음 태양의 거실에서 미샤가 미이와 노는 동안 그녀는 태양의 화장실에서 느긋하게 일을 보았다.

선이는 미이를 재우고 빨래를 했다. 언제나 그랬듯 미이의 옷을 짝짝 펴 발코니의 건조대에다 널며 우리 미이, 우리 강아지, 바르게 자라라, 주문을 외웠다. 우리 선이, 예쁘고 바르게 자라라, 엄마가 자신에게 늘 말했듯이. 독일과 달리 옷이 금방 말랐다. 바짝 말랐다. 마른 옷에서 바삭바삭 구워진 쿠키처럼 향긋하고 좋은 냄새가 났다. 우리 미이, 우리 강아지, 이렇게 뽀송뽀송하게, 이렇게 향긋하게 살아라, 그녀가 다시 주문을 외었다.

"뭐라고?"

잠깐 잠들었던 미샤가 깨어 발코니로 나왔다. 뒤에서 선이를 껴안으며 물었다.

"아니, 아무것도 아니야."

그녀가 뒤돌아서서 미샤의 입술에 키스했다.

"선이, 근데, 미이에게는 왜 분홍색이 아닌 파란색 옷이 많지?"

"아, 지금 보니까 그렇네. 크크. 내가 워낙 파란색을 좋아해서 말이야."

"하지만 네 다른 소지품엔 파란색이 없잖아."

아, 진짜 그러네, 네 말을 듣기 전에는 몰랐어, 대꾸하며 선이는 고개를 갸웃했다. 미이, 우리 강아지라는 연상 작용 끝에 상현의 파란 강아지가 떠올랐다. 아, 파란 강아지…….

사흘째 그들은 플라멩코의 본고장인 세비아에 갔다. 스페인에 자주 왔던 미샤가 모든 걸 진두지휘했다. 사이사이 설명도 많이 해주었다. 내가 평소에 무슨 좋은 일을 했기에 이렇게 호강하는 거지? 싶어 선이는 기쁘기도 하고, 이렇게 호강해도 되는 걸까? 혹시 앞으로의 즐거움을 가불해서 쓰고 있는 건 아닐까? 싶어 불안하기도 했다.

"우리, 투우장에도 가자. 그곳 구경을 한 다음에 플라멩코를 보자, 응? 3월부터 10월 말까지 토요일과 일요일에 투우장을 열어. 싼 자리는 15유로밖에 안 해."

"솔직히 난 투우, 보고 싶지 않아."

투우가 스페인의 전통문화 중 하나이긴 하지만 잔인한 건 사실이다. 그래서 투우장 근처에는 투우를 반대하는 누드 시위가 매번 벌어진다고 했다.

"투우는 풍요를 기원하는 제사 의식에서 시작되었어. 소의 죽음을 신에게 바치는 의식에서 비롯된 거지. 잔인하다거나 도살 오락으로 보는 대신 소와 인간의 목숨을 건 한판 대결로 이해하는 게 좋아."

"그래도 싫어. 우리, 플라멩코만 보자."

"좋아. 정 그렇담 할 수 없지. 난 예전에 보았으니까. 플라멩코 그것도 20유로 정도면 오리지널한 공연을 볼 수 있어."

"아, 그렇구나. 근데, 미샤."

"응?"

"내가 좋아?"

"응."

"왜?"

"눈이 작아서. 눈이 큰 독일 애들보다 예리해 보이니까. 크크."

"또?"

"음, 통통해서. 만질 게 많으니까. 크크."

"그게 다야?"

"아니, 그게 다가 아니야. 너도 나 좋지?"

"응."

"왜?"

"……."

"것 봐. 너도 대답 못하지? 그런 거야. 그냥 좋은 거야."

"그래도 내가 왜 좋은지 한 가지만 더 말해봐."

"음…… 너무 많아서 말을 못했는데 한 가지만 말하라니까 그것도 쉽지 않네. 크크. 너부터 말해봐. 내가 왜 좋은지."

"나랑 미이에게 잘해주니까. 네가 네 엄마에게 하는 걸 보고 깜짝 놀랐거든. 아주 버릇없게 굴잖아? 얘가 모든 사람에게 잘하는 건 아니구나, 날 진짜 좋아하는구나, 싶은 생각이 들었어."

기형은 내게 왜 잘해주지 않았을까? 내가 입는 옷의 스타일이 마음에 안 들어서? 우리 집이 가난해서? 내가 밥을 빨리 먹어서? 유명 상표의 신발을 신지 않아서? 눈이 작아서? 통통해서? 그와 사귈 때, 그리고 헤어지고 나서 그녀는 항상 자기 자신에게서 그 이유를 찾았다.

"외아들인 내게 쏠리는 부모님의 시선을 네가, 미이가 분산시켜줘서 얼마나 고마운지 몰라. 내가 널 좋아하는 이유 중의 하나지."

미샤는 선이가 편하다. 선이의 집에 가도 편하다. 창문이 반짝반짝 닦여있지 않아도, 세면대에 머리카락이 붙어 있어도, 책상 위가 깔끔하지 않아도, 식탁과 어울리는 식탁보가 깔려 있지 않아도, 제 시간에 밥을 먹지 않아도, 유식하지 않아도, 바지와 치마와 속옷을 반듯하게 다려 입지 않아도 좋다. 집안 분위기가 밝아서 또한 좋다. 좋을 뿐만이 아니다. 선이 때문에 그는 안달이 난다.

그녀는 안달이 난 그를 만족하게 해준다. 그가 담배를 덜 피우고 아침에 벌떡 일어나 학교에 가게 해주는 이유가 되어준다.

"미이, 예쁘지?"

"그럼!"

"누구의 아기인지도 모르는데?"

"미이는 아기야. 무조건적인 사랑을 받아야 하는 예쁜 아기!"

"하긴. 내가 누구의 딸이라는 게 뭐가 중요해, 그치? 그냥 선이라서 예쁜 거지, 그치?"

플라멩코 공연을 볼 때까지 시간이 많이 남아 그들은 세비아의 시내를 돌아다녔다. 스페인 사람들은 패션 감각이 뛰어나 쇼윈도에 장식된 옷과 액세서리, 또는 지나다니는 사람들의 옷차림이 피카소의 그림에서 곧바로 튀어나온 듯 정열적이면서도 세련되었다.

선이는 미이가 갑자기 많은 양의 햇빛에 노출되지 않도록 파라솔로 응달을 만드는 등 세심하게 주의를 기울였다. 고맙게도 미이가 칭얼대지 않았다. 칭얼대기는커녕 저도 신기한지 유모차 속에서 눈을 동그랗게 뜨고는 이리저리 둘러보았다. 지나치는 사람과 눈이 마주칠 때마다 방실방실 웃었다. 제게 첫눈에 반할 스페인 사람을 찾는 모양이었다.

저녁으로 그들은 멜론 위에다 하몽 얹은 것을 먹었다. 전식이었다. 하몽은 돼지 뒷다릿살로 만든 햄이야, 집의 천장이나 지하실에서 2개월 이상 말린 거지, 미샤가 설명해주었다. 이게 도대체 무은 맛일까 싶었지만 먹다 보니 멜론의 달콤한 맛과 짜고 큼큼한 하물의 맛이 의외로 잘 어울렸다. 부잣집 아들인데다 잘생긴 미샤가 아이가 있는 다소 뚱뚱하고 눈이 작은 여자와 의외로 잘 어울리듯이. 그들은 메인 메뉴로 조그만 그릇에 이것저것 담겨 나온 타파스에다 빵을 곁들여 먹으며 잠시 후에 관람할 플라멩코에 관한 이야기를 나누었다. 콧등에 송송 땀방울이 맺힌 채 미이가 쌔근쌔근 자고 있었다.

"플라멩코에 대해서는 대충 알고 있지?"

"응. 낯설기도 하고 애절하게 들리기도 하는 노래에 손뼉이나 캐스터네츠로 박자를 맞추며 추는 춤이지. 하나하나의 동작은 가벼워 보이지만 전체적으로 강렬하고 절도 있는 춤."

"맞아. 플라멩코는 사랑과 죽음, 희망과 아픔을 노래하지. 덧붙이자면 스페인은 1981년까지 이혼이 금지되었던 나라야. 여자에게 가해지는 육체적이고 정신적인 폭력이 상당했지. 남의 눈에 보이지 않는 가정 안에서의 폭력과 아픔, 그것에 대한 내용이 가사에 많이 담겨 있어."

"아, 그렇구나. 그것까지는 몰랐어. 그저 집시들이 일상의 시름을 잊기 위해 만들어낸 노래와 춤이라고 생각했지. 그래서 즉흥적이면서도 화려하다고 말이야."

"무희의 수명은 짧아. 발을 구르기 때문에 발목과 무릎 부상이 잦지. 플라멩코, 육체로 쓰는 가장 아름다운 시이거나 수필이거나 소설이야. 아무것도 가진 게 없는 사람들의 가장 큰 외침이지."

아, 멋져, 미샤! 선이가 탄성을 내지르자 기분이다, 오늘 내가 쏜다, 미샤가 호기롭게 말했다.

그들은 식당에서 나왔다. '타블라오'라는 그리 넓지 않은 선술집에 앉았다. 와인을 시켜놓고 한 시간가량 플라멩코 공연을 보았다.

나흘째 되는 날이다. 미샤가 짜놓은 스케줄에 따라 그들은 그라나다의 알함브라 궁전에 가기 위해 시장이 들어선 골목을 지나 버스정류장으로 걸어간다. 인상을 펴주는 다리미인 양 아침부터 뜨거운 햇살 아래 물건을 흥정하는 여행객들의 표정이 환하다.

정류장 표시도 안 되어 있는 정류장에 도착한다. 버스가 만석이라 다음 차를 기다린다. 5분 후에 온다더니 감감무소식이다. 응달 하나 없는 땡볕 아래에서 버스의 벤진 냄새를 맡으며 조금 더 기다린다. 일 년치의 나쁜 공기를 다 마시는 듯하다. 미샤가 선이를 바라본다. 그를 마주 보며 그녀가 웃는다. 볼에 살이 많은 그녀가 웃자 선글라스가 밀려 이마 위로 올라간다. 답답해서 선글라스를 벗으면 볼살 위에 안경 자국이 선명하게 새겨져 있을 것이다. 그녀의 아픔 중에 하나다.

버스에 오른다. 미이는 유모차 속에서 잠이 들었다. 옆에 앉은 미샤가 피곤한지 선이의 무릎에 머리를 대고 옆으로 눕는다. 플라멩코 공연을 보며 무희들의 강렬한 몸놀림에 자극을 받았는지 미샤는 전날 밤, 두 번이나 선이의 몸을 요구했다. 선이는 그의 머리를 부드럽게 쓰다듬으며 창밖을 바라본다. 많은 집의 유리창에 세

일이라는 글자와 9자리 전화번호가 빨간색으로 쓰여 있다. 밤에 보았을 때 불이 꺼져 흉하던 집들이다.

아랍어로 '석류'라는 뜻의 그라나다로 가는 내내 오른쪽으로는 지중해의 해변이 펼쳐지고 왼쪽의 산등성이에는 호텔과 별장들이 줄지어 서 있다. 날씨가 안 좋은 곳에 사는 영국인과 독일인이 거주나 투자용으로 사들인 집들이다. 이제 경기가 엉망인데다 국채 금리가 7퍼센트까지 치솟아 투자가치가 없기에 외국인은 더 이상 집을 사지 않는다. 자국민에게는 은행에서 돈을 빌려주지 않아 또한 살 수가 없다. 빈집만 늘어가는 형국이다. 태양의 해변은 빛더미의 해변이 되었다.

선이는 마음이 편하지 않다. 무소식이 희소식이라지만 걱정이 되어 그녀는 어제 아침부터 할아버지에게 전화를 했다. 하지만 할아버지가 조금 전까지도 받지 않았다. 바바라에게도 전화했지만 받지 않았다. 내가 없는 사이에 둘이 여행을 간 것이 아닐까? 싶다가도 에이, 그럴 리 없어, 고개를 흔들었다.

곳곳의 언덕에 플라스틱하우스, 비닐하우스가 지어져 있다. 과일과 야채는 비닐하우스 속의 열기가 아니라 습기 때문에 더욱 빨리 익는 거라고 미샤가 어제 말해주었다. 그녀는 그의 말에 고개를 끄덕였다. 모든 것에는 우위적인 동력이 있다. 선이는 기쁨이나 희망이 아닌 슬픔이나 불안 때문에 아침에 벌떡 일어난다. 열심히 공부하고 열심히 생활한다.

그 비닐하우스를 운영하기 위해 지하수를 끌어들이는 바람에 스페인의 많은 땅이 지금 사막화되어가고 있다고 미샤가 덧붙여 말해주었다. 그때에도 선이는 고개를 끄덕였다. 그녀가 숙제나 공부에 신경을 쓰다 보면 미이나 방 안의 꼴이 엉망진창, 사막화되었다. 그녀가 기형에게 집중하자 성적과 마음 상태가 엉망진창, 사막화되었다.

해발 1000미터 지점에 자리한 알함브라 궁전으로 가기 위해 버스가 막 해발 700미터 지점으로 오른다. 그곳에 체리나무가 무리지어 서 있다. 너무 더운 곳에는 체리가 익지 않는다고, 해발 700미터가 적당하다고 쓰인 관광팸플릿을 읽었을 때 그렇지, 너무 비위를 맞추고 너무 눈치를 보아도 익지 않는 사랑처럼, 그녀는 고개를 끄덕였다. 스페인 곳곳에 삶의 이런저런 비의가 배어 있는 듯하다.

이슬람 예술의 정수라는 알함브라 궁전이 보인다. 미이가 깬다. 미이의 소리에 미샤도 일어난다. 버스의 흔들림을 느끼며 선이가 미이의 기저귀를 갈아준다. 우유를 먹인다.

"이 궁전의 테마는 생명의 원천인 물이야. 곳곳에 연못이 있고 분수가 솟아오르지."

실컷 자고 나서 피곤이 풀린 미샤가 궁전의 앞마당을 걸으며 말한다.

"응. 나도 책에서 읽었어."

"한때 폐허가 돼 집시의 소굴이었던 궁전이 세상에 널리 알려진 건 미국작가 워싱턴 어빙과 작곡가 타레가 덕분이야."

"그래? 그건 모르는 이야기야."

"어빙은 스페인 주재 공사로 3개월간 여기 머물며 알함브라 이야기를 책으로 출간했어. 이후 많은 사람이 이곳에 찾아왔지. 이 궁전이 널리 알려졌을 무렵 테레가는 제자이자 애인인 콘차부인과 함께 이곳을 방문했어. 그는 석양 무렵에 이곳에서 사랑의 고백을 했는데 그녀가 받아주지 않았지. 테레가가 그날 밤 그녀에게 보내는 슬픔 어린 연가를 작곡했는데, 그 곡이 그 유명한 〈알함브라 궁전의 추억〉이야. 분수에서 떨어지는 물소리에서 음을 찾아 실연의 아픔을 담아낸 거지."

아, 그렇구나 중얼거리면서도 선이는 할아버지 걱정에 여전히 마음이 무겁다. 여행을 떠난답시고 부산을 떠느라 건성으로 할아버지의 건강을 염려한 게 마음에 걸린다. 혹시 할아버지에게 무슨 일이 있다면? 안 돼, 안 돼, 선이는 도리질을 치며 다시 전화한다. 받지 않는다. 바바라에게 전화한다. 다행히 받는다.

"아, 선이! 안 그래도 네 번호가 찍힌 걸 보았는데 하루 종일 대기 근무를 하느라 정신이 없었어. 스페인은 어때? 날씨, 끝내주지? 여기는 여전해. 바람 불고 비가 와. 흥, 자랑하려고 전화했구나? 약 오르는데? 크크."

"바바라, 그게 아니라…… 할아버지가 어제 아침부터 전화를 받지 않아. 혹시 무슨 일이 있는 게 아닐까? 걱정이 돼서 말이야."

"아, 그래? 알았어. 걱정하지 마. 내가 조금 이따 집에 한번 가 볼 테니."

"고마워, 바바라. 할아버지에게 무슨 일이 있으면 난……

난…….”

“별소리를 다…… 아무 걱정 말고 즐거운 시간 보내. 내가 다시 연락할게, 응?”

“응…….”

미샤가 선이의 표정을 살핀다. 선이를 따라하는지 미이가 인상을 찡그린다. 320일 동안 쨍, 하고 해가 나 해와 관련된 서비스업으로 경제를 지탱하는 스페인도 그녀의 불안을 뿌리째 말려주지는 못하는가 보다.

*

선이의 말대로 희돈이 계속 전화를 받지 않는다. 바바라는 그의 집으로 간다. 서민아파트의 입구에 서서 그의 집 벨을 누른다. 아무 반응이 없다. 마침 누군가 문을 열고 나온다. 그녀가 건물 속으로 들어간다.

희돈의 집 현관문 앞에 서서 계속 벨을 누른다. 문을 두드린다. 역시 아무런 반응이 없다. 그녀는 걱정에 휩싸여 차가 주차된 곳으로 바삐 내려간다. 시내에 있는 열쇠수리소로 차를 몬다.

열쇠수리공이 희돈의 집 현관문을 딴다. 채 일 초도 걸리지 않는다. 바바라는 그에게 60유로를 지불한다. 혹시나 싶어 열쇠수리공과 함께 집에 들어가 안을 살핀다. 퀴퀴한 배추 냄새가 나는 욕실을 지나 거실로 들어간다. 희돈이 소파 위에 누워 있다. 아니,

소금에 절여진 배추를 누군가 소파 위에다 척, 걸쳐놓은 듯 널브러져 있다. 바바라는 얼른 손수건을 꺼내 물을 묻혀온다. 의식이 없는 그의 입술에 대어준다. 구급차를 부른다.

"선이, 할아버지가 몸살 기운이 있어서 집에 있던 한국약을 먹고 잠들었다고 해. 몸이 쇠약한 상태인데다 센 약을 먹어서 잠에서 깨어나지 못한 것 같아. 전화벨 소리를 여러 번 들었지만, 일어나려고 계속 마음을 먹었지만 그럴 수가 없었대. 지금 병원이야. 응급조치를 취해 이제 맥박과 혈압이 정상으로 돌아왔어. 탈수 때문에 쇼크가 왔던 거야. 조금만 늦었어도 큰일 날 뻔했어."

"아, 어떡해…… 아, 어떡해……."

선이는 늦은 오후, 알함브라 궁전에서 돌아오는 버스 안에서 바바라의 전화를 받는다. 미이도 4주 정도 되었을 때 설사 때문에 탈수 직전까지 갔었다. 탈수가 사람들이 생각하는 것보다 훨씬 심각한 증상이라는 걸 그녀는 그때 알았다. 몸속의 수분은 그냥 맹물이 아니었다. 나트륨과 칼륨, 크롬 등 몸의 리듬을 조절하는 전해질이 포함돼 있었다. 그렇기에 체중의 15퍼센트 정도의 수분을 잃으면 생명이 위험해진다. 그때에도 선이는 바바라의 도움을 받았다.

"괜찮아. 이제 진짜 괜찮아. 그러니까 마음 쓰지 마. 희돈, 지금 링거 맞고 있어. 잠이 들어서 전화를 바꿔줄 수가 없네. 조금 이따 상태를 보고 다시 전화할게."

"오케이. 오케이."

선이는 전화를 끊는다. 크게 숨을 내쉰다. 미이가 옹알이 한다.

말 대신 침만 주르륵, 주르륵, 흘러내린다. 미샤가 턱받이로 미이의 침을 닦아준다. 선이를 쳐다본다.

"미샤, 좋은 기분을 깨뜨리는 것 같아 미안해."

"무슨 말을 그렇게 해? 네가 불안하면 나도 불안하고, 네가 슬프면 나도 슬퍼."

"할아버지가 병원에 입원했…… 탈수가 왔…… 나, 독일로 돌아가야 할 것 같……."

선이는 울먹거리느라 말을 잇지 못한다.

"내가 비행기 표를 알아볼까?"

선이의 기분을 조심스레 살피며 미샤가 묻는다.

"아마도…… 변경이 어려울 거야……."

"걱정하지 마. 내가 알아볼게. 알았지?"

"으응……."

*

"바바라, 내가 사고 쳐서 미안."

링거를 맞고 정신이 든 희돈이 말한다.

"그만하기 다행이야. 조금만 늦었어도 큰일이 날 뻔했어요."

"바바라, 내가 이렇게 누워있으면 안 되는데."

"왜? 입원한 김에 좀 쉬고, 이런저런 검사도 받아보면 좋잖아요?"

"내가 써야 할 게 있거든."

"희돈, 당신이 저번에 말했듯이 시간이 너무 촉박한 거 같아요. 내년에도 기회가 있다고 했지요? 시간을 두고 천천히 쓰면 안 될까요? 조급하면 더 안 써지니까."

"그지? 그렇지?"

"그럼요. 자, 우리의 귀염둥이, 눈감고 한숨 더 자요. 그럼 한결 나아질 테니까."

바바라가 희돈의 몇 올 남지 않은 앞 머리카락을 위로 쓸어주며 말한다. 이 남자도 어느 여인의 회음부를 찢으며 세상에 태어났겠지, 강보에 싸인 채 선홍색의 보드라운 입술로 엄마의 젖을 물었겠지, 초원을 내달리는 야생마의 근력으로 아내를 사랑했겠지, 그녀를 잃었을 때 소금에 절인 배추처럼 소파에 쓰러져 울었겠지…… 응급실의 침대 위에 의식불명 상태로 누운 그가 거칠고 검은 입술로 선화, 선화, 읊조리던 모습을 떠올리며 그녀는 생각에 잠긴다.

"고마워 바바라, 당신은 천사야. 저먼 엔젤!"

희돈은 자신의 이마 위에 올려진 그녀의 손 위에 손을 얹으며 말한다. 본인의 아이를 낳는 대신 세상의 많은 아이를 받아내느라, 씻기고 돌보느라 언제나 소독에 소독을 거듭해 그녀의 손은 사포처럼 거칠다. 하지만 사랑이 가득 담긴 손이다. 그녀는 지금껏 아이가 아닌 사랑을 손으로 받아내고, 사랑을 씻기고 돌보아 온 것 같다.

그녀가 부끄러운 듯 슬그머니 손을 뺀다. 희돈의 베개를 만져준 다음 막 태어난 아기를 강보에 싸듯 그의 몸에 이불을 덮어 네 귀를 꼭꼭 눌러준다. 그녀의 손길이 이불보다 따듯하다. 탄을 캐고 지상으로 올라왔을 때 바바라 여신의 동상에다 대고 감사의 마음을 전했듯 그는 그녀를 바라보며 바바라, 고마워, 중얼거린다. 스르르 잠이 든다.

"링거를 맞아 소변이 마려운데, 소변 누기가 쉽지 않네요."

희돈은 용기를 내어 회진 온 의사에게 말한다. 다행히 바바라가 집에 가고 없다. 의사의 지시로 간호사가 페니스에 관을 집어넣어 1리터가 넘는 오줌을 빼낸다. 그렇게 시원하게 소변을 눈 지가 언제인지 까마득하다. 그는 부끄럽기는커녕 너무나 고마워 전혀 알지도 못하는 간호사의 손을 덥썩 잡을 뻔했다.

"이게 혹시, 오줌을 눈다. 앉아서? (혹시 앉아서 오줌을 눠서 그런 게 아닐까요?)"

다음 날 비뇨기과 의사로부터 전립선비대증이라는 진단을 받은 희돈은 용기를 내고 또 내어 묻는다.

"네? 앉아서 오줌을 누고 싶다고요?"

"아니, 그게 아니라, 앉아서 오줌을 누어서 전립선비대증에 걸린 게 아니냐고요?"

"아, 그런 말…… 흐흐. 아니에요. 오줌을 서서 누다가 부인에게 국자로 머리를 얻어맞아 쓰러지는 것보다 앉아서 누는 게 훨씬 안

전하고 건강에도 좋아요. 흐흐. 전립선비대증, 당신 나이에 흔히 나타나는 증상이니까 걱정하지 마세요. 서서 오줌을 누는 사람도 똑같은 비율로 걸리지요."

"어떻게 해야 하나요?"

"지금 그리 심한 정도는 아니에요. 6개월 정도 약을 꾸준히 복용하면 전립선의 크기가 20퍼센트 정도 줄어듭니다. 동시에 배뇨장애가 조절되지요. 혹시 약을 복용하는데도 상태가 좋아지지 않으면 수술을 해야 해요."

"네, 그렇지만 비밀로 해주세요. 네?"

*

스페인에 온 지 닷새째다. 미샤의 계획대로라면 지금 그들은 말라가에 가는 버스를 탔어야 한다. 피카소의 고향인 그곳에서 미술관을 관람한 후 짜라나 망고 등에서 쇼핑하기로 계획했었다. 말라가, 해독 다이어트를 막 마친 선이는 무엇보다 '말라가고 있다'라고 읽히는 그 도시의 이름이 마음에 들었다.

말라가에 가는 대신 선이와 미샤는 미이를 유모차에 태우고 태양의 해변, 빛더미의 해변을 산책한다. 미샤는 어제 늦은 오후에 여행사에 전화를 걸어 문의를 해보았다. 날짜 변경이 불가능하다고 했다. 그는 그동안 모아놓은 용돈으로 세 명의 독일행 편도 비행기 표를 새로 샀다. 미이는 어른의 10퍼센트만 내면 되었다. 이틀 후에 출발하는 비행기 표였다. 선이에게는 변경이 되었다고 말했다. 그는 산책하며 계속 선이의 표정을 살핀다.

선이는 한 시간 정도의 산책을 마친 다음 유모차를 끌고 회색빛 모래를 지나 바다 가까이 다가간다. 맨발을 바닷물에 담근다. 심장이 일곱 번 뛰자 파도가 한 번 밀려와 그녀의 발목 부근에서 잘게 부서진다. 심장이 여덟 번 뛰자 다시 작게 밀려와 하얗게 부서진다. 이번에는 제법 큰 파도가 밀려와 그녀의 종아리를 적신다. 쉬이잇, 쉬잇, 파도 소리가 마치 그녀의 귓가에 부서지던 기형의 크고 작은 신음 같다.

그렇게 가만히 서 있자 파도가 물러설 때마다 발꿈치 아래의 모래가 조금씩 파인다. 이렇게 한참 동안 서 있으면 종아리가, 허리가 잠길까? 아무 고통 없이 조금씩, 조금씩 내가 사라질까? 아, 그랬으면 좋겠어. 나는 나쁜 아이야, 생각하는 순간 선이는 번쩍, 정신이 난다. 얼른 유모차에 다가가 얌전히 누워 있는 미이를 꺼내 가슴에 꼭 껴안는다. 미안해, 그냥 한번 해본 소리야, 네가 있는데 내가 지금 무슨 소리를 하는 거야, 중얼거린다.

갑작스런 선이의 행동이 귀찮은지 미이가 팔다리를 바동거린다. 미이를 다시 유모차에 내려놓는다. 산책길로 올라온다. 그녀의 심장이 일곱 번이나 아홉 번 뛰는 것의 천억 배쯤 되는 시간 동안 크고 작은 파도에 씻겨 둥글어진 조약돌들이 햇살 아래 하얗게 반짝이고 있다.

선이는 어젯밤에 바바라의 전화를 다시 받았다. 할아버지의 목소리도 들었다. 안심되었다. 사실 무리해서 독일로 돌아갈 필요까지는 없었다. 하지만 미샤의 말대로 내일 아침 일찍 출발하기로 한다. 성수기라 변경이 불가능해 그가 분명 제 선에서 일을 처리했으리라 짐작하면서도 선이는 모른 척한다. 할아버지 때문이 아니라 기형 때문이다. 그녀는 어젯밤 미샤의 노트북으로 메일을 확인했다. '여자 친구와 함께 독일에 가, 내일 오후에 우리가 만나던 카페에서 잠깐 보자'라고 메일에 쓰여 있었다.

선이는 기형이 보고 싶지 않은 딱 그만큼 그가 보고 싶다. 보고 싶다는 생각이 들자 마음이 설레기도 한다. 유언장을 쓴 이후 그를 향해 조금 열어놓았던 문을 완전히 닫았다고 생각했는데 닫는 척만 했나 보다. 잊었다고 생각했는데 잊으려고 애만 썼나 보다.

*

"할아버지, 배가 좀 들어갔네? 그새 할아버지 버전의 해독 다이어트를 했구나? 배신자. 난 미샤랑 이것저것 먹는 바람에 도로 살이 쪘는데."

독일에 도착하자마자 선이는 병원으로 간다.

"나도 배신 좀 때려보자! 흐흐. 근데, 지금껏 배의 힘으로, 배의 생각으로 살았는데 이제 어쩐다냐?"

"어쩌기는, 배의 힘이 아니라 시의 힘으로 살아야지! 크크."

"시?"

"응. 나, 다 알고 있어. 그새 얼마나 썼어? 어디 좀 보여줘."

"쓰기도 전에 질려버렸다. 시라는 게 아무나 쓰는 게 아니야. 송충이는 솔잎을 먹어야 하는데 꽃잎을 조금 갉아 먹으려다가 된통 탈이 나버렸다. 그나저나, 까무잡잡하니 건강해 보여서 참 좋네. 조금 더 있다가 오지 뭐 하러 일찍 와? 하긴, 하루 지나니까 무지 보고 싶더라."

"그럴 것 같았어. 우리가 보고 싶어서 병이 날 줄 알았다고."

"고맙다. 걱정해주어서. 그리고 전화해주어서."

"별말씀을…… 할아버지!"

"응! 왜?"

"내가 할아버지를 좀 많이 닮았잖아? 다리에 털이 많이 난 것까지 말이야. 근데 한 가지 닮지 못할 게 생겼네?"

"그게 뭔데?"

"전립선비대증."

"뭐? 그거 비밀인데! 이놈의 의사가 약속을 안 지키고! 그거, 바바라도 알고 있냐?"

그럼, 간호사가 말해주던걸? 약을 복용하고 있다고 말이야, 그게 무슨 비밀이라고, 크크, 대꾸하면서도 선이는 마음이 바쁘다. 집에 가서 얼른 씻고 화장을 다시 하고 옷도 새것으로 갈아입어야 한다. 그와의 약속 시각이 2시간밖에 남지 않았다. 나빠, 선이는 자신을 향해 중얼거린다.

*

선이는 미샤와 헤어진다. 집에 돌아와 머리부터 감는다. 그와의 약속 시각이 이제 1시간밖에 안 남았다. 서둘러 화장을 하고 옷을 갈아입은 다음 유모차에서 자고 있는 미이를 번쩍 들어 올린다. 찡찡거리는 아이의 얼굴을 씻기고 로션을 발라준 다음 새 옷으로 갈아입히다가 문득 손길을 멈춘다. 내가 왜 이러지? 유언장까지 쓴 마당에? 아직 완벽한 장례가 치러지지 않은 건가? 유언장은 그러니까 죽기 싫다는, 살고 싶다는 신호의 타전이었나?

하지만 그런 생각이 든 것도 잠시, 다시 조급한 마음으로 선이는 아이에게 옷을 입힌다. 잠결에 귀찮은지 미이가 운다. 얘가 오늘따라 왜 이래, 그녀는 짜증을 내며 아이의 팔에 억지로 옷을 끼운다. 미이가 억울하다는 듯 악을 쓰며 운다. 기껏 해놓은 화장 위에 땀이 송송 맺힌다. 선이는 우는 아이를 유모차에 내려놓고 휴지로 땀을 찍어낸다. 손가락 끝으로 밀린 화장을 편 다음 파우더를 듬뿍 바른다. 신을 찾아 신는다.

스페인 날씨를 독일로 데려온 듯 날씨가 좋다. 일 년 중 독일의 일조량 수치가 가장 높은 7월이다. 오늘 내 마음의 일조량 수치가 제발 바닥을 기지 않았으면, 선이는 바란다. 유모차를 밀자 미이가 다시 잠든다.

집 앞 공터에서 따가운 햇볕을 받으며 아이들이 축구를 하고 있다. 중·하류층의 사람들과 외국인노동자, 대학생들이 모여 사는 이 지역의 아이들은 부모가 일하러 나간 사이에 여기저기 몰려다니며 남의 집 벨을 함부로 누른다. 그렇게 심심함을 때우다가 거리에 세워둔 자전거나 자전거의 부속을 훔친다. 그녀 같은 동양인이 지나갈 때면 칭창총, 칭창총 손가락질을 하며 놀려대기도 한다.

쿵쿵쿵. 그 길을 지날 때마다 콧속으로 스며드는 쓰레기 냄새가 그날 따라 심하다. 예감이 좋지 않다. 갑자기 그녀의 마음이 달라진다. 그를 만나고 싶지 않다. 그러다 다시 마음이 바뀐다. 나왔으니 일단 만나기는 해야 할 것 같다.

미샤에게 미안하다. 단면으로 전체를 보여주는 미샤이다. 하지만 기형을 한 번은 더 만나고 싶다. 기형 또한 단면으로 전체를 보여주는 사람이다. 미안함과 보고픔, 그 이율배반적인 생각에 시달리는 자신이 경멸스럽다.

공터 뒤에 작은 카페가 보인다. 선이는 가방에서 손거울을 꺼내 얼굴을 한번 체크한다. 봐줄 만하지 않다. 스페인에서 일주일 지내는 동안 얼굴이 구릿빛으로 탔다. 하필이면 어젯밤에 모기가 그녀의 눈두덩을 물어 벌겋게 부풀어 올랐다. 앞머리로 가리지만 완전히 가려지지 않는다. 에라 모르겠다, 생각하며 그녀는 손거울을 다시 가방에 넣는다. 문이 열린 카페 속으로 천천히 들어간다.

왁자지껄한 소리에 선이는 자동으로 왼쪽을 본다. 뚱뚱한 독일 아줌마 셋이 생크림을 잔뜩 올린 딸기케이크와 커피를 앞에 두고 수다를 떨다가 뭐가 그리 재밌는지 한바탕 웃어젖힌다. 그녀는 그를 찾기 위해 눈동자를 움직인다. 투명한 잔 속의 말간 홍차를 마시던 그에게 초점이 맞춰진다. 잔에 얼마 남지 않은 것을 홀짝 마시려고 고개를 뒤로 젖히던 그가 고개를 급히 왼쪽으로 튼다. 그녀와 눈이 마주친다. 컵의 마지막 내용물 때문에 그의 목울대가 재게 한 번 움직인다. 그는 이제 선이가 아니라 유모차를 바라본다. 일 년 만의 만남이 어색해 그녀는 유모차를 밀며 쭈뼛쭈뼛 다가간다.

"뭐야?"

그가 계속 유모차를 바라보며 묻는다.

"아르바이트하고 있어. 베이비씨팅."

선이의 대답에 그제야 안심이 된다는 듯 그가 눈에 들어가 있던 힘을 푼다.

"여자 친구랑 함께 왔다며?"

"응."

"왜 함께 안 왔어?"

"잠깐 쇼핑하러 갔어."

"응."

미이가 낑낑거린다. 선이가 미이를 들어 올린다. 낯선 남자의 모습에 미이가 입을 삐죽거린다. 그가 난감한 표정을 짓는다.

"애들은 좋은 사람 안 좋은 사람을 금방 알아봐, 크크."

선이가 그것도 유머랍시고 말하자 그가 조금 더 난감한 표정을 짓는다.

"너 닮았다? 얼굴이 넙데데하고, 볼살이 많은 거."

"그렇지? 다들 그렇게 말해. 내 딸이냐고 물어보는 사람도 있는 걸?"

"그렇겠다. 입을 삐죽거리니까 더 밉상이네."

"응. 오빠처럼 웃어도 밉상인 것보다는 나아."

거기까지 말하다 선이는 말을 뚝 멈춘다. 스마트폰을 들여다보는 그를 넘겨다본다. 모기에 물려 무거워진 눈꺼풀 때문에 그의 모습이 답답하게 보인다.

"쇼핑 끝났단다. 얼른 가서 들어줘야지."

"응."

"그래도 독일에 왔으니까 널 한번 보고 가야지, 안 그래?"

"응."

선이는 진한 커피 몇 잔을 거푸 마신 것처럼 손이 파르르 떨린다. 하지만 태연한 척한다.

미이가 칭얼거리며 그녀의 가슴에 얼굴을 비빈다. 아이를 안고 얼른 밖으로 나온다. 조금 어르자 순한 미이가 다시 잠이 든다. 공터를 훑고 지나온 더운 바람이 그녀를 스쳐 지나간다. 계산을 치른 그가 뒤따라 나온다. 처음 보았을 때처럼 여전히 간지 있게 옷을 입었다. 햇살이 성가신지 얼굴을 찡그린 그가 다가와 오른손 검지로 그녀의 왼쪽 볼을 톡톡, 건드린다. 울다 잠이 들어 자꾸만 늘어지는 아이를 추스르며 그녀는 씩 한번 웃는다.

"안녕. 또 만날 날이 있겠지."

"응."

"한국에 나오면 꼭 전화해. 그 치킨집에 함께 가자."

응, 고마워, 말을 마친 선이는 천천히 등을 돌린다. 한 손으로 미이를 안은 채 한 손으로 유모차를 민다. 집을 향해 또박또박 발걸음을 뗀다. 그에게서 멀어진다. 뭐, 넙데데? 우니까 밉상? 나쁜 자식! 재수 없어!

그녀는 계속해서 또박또박 걷는다. 조금 열어놓았던 문, 닫은 게 아니라 닫는 척만 했던 문을 꼭 닫는다. 그리 높지 않은 구두의 굽으로 완벽하게 장례 치러주지 않은 그에 대한 미련을 또박또박, 확인 사살한다. 미안함과 보고픔, 이율배반적이어서 경멸스럽던 순간이 경멸에서 벗어나게끔 해주는 디딤돌이 된다. 그를 더 이상 그리워하지 않기 위해 그리워한 것 같다. 그의 발자국 소리는 들리지 않는다. 자신의 뒷모습을 바라보고 있는 것 같다.

선이는 잠시 걸음을 멈춘다. 잠에 곯아 떨어져 점점 늘어지는 아이를 유모차에 눕힌다. 그러자 평소와 달리 미이가 칭얼거린다. 다시 안는다. 금방 다시 잠이 든다. 팔다리를 축축 늘어뜨리는 미이를 그녀가 추스른다. 그러자 멋 낸다고 입고 나온 치마가 위로 당겨져 올라간다. 펑퍼짐한 엉덩이의 실루엣이 그대로 드러난다. 한 손으로 미이를, 한 손으로 유모차를 밀며 선이는 다시 걷는다. 또박또박 걸으려 애쓰지만, 뒤에서 보는 사람에게는 엉덩이를 실룩거리며 제멋대로 걸어가고 있는 듯 보일 것이다. 아, 뒷모습까지 자신 없기는 처음이야, 선이는 한숨을 쉰다.

선이는 뒤돌아보지 않고 계속 걷는다. 잠시 걸음을 멈춘다. 유모차를 밀던 손의 검지로 그가 톡톡, 건드린 왼쪽 뺨을 톡톡, 건드려본다. 땀이 번져 끈적거린다. 스페인 여행을 포기하고 돌아와 그의 검지에 전해준 나의 마지막 느낌이 이것이라니, 선이는 한숨을 내쉰다. 그러다 걷는다. 또박또박, 계속 걷는다. 돌이 되기 전에 걸었다고 마냥 자랑스러워하던 엄마의 얼굴이, 할머니의 얼굴이 잠시 스쳐 지나간다. 뭐가 급해서 자신은 그렇게 일찍 걸었던 것일까, 앞으로 또 얼마나 많은 길을 걸어야 하는 걸까, 싶어 걸음마를 뗀 후 알게 모르게 쌓였던 피로가 한꺼번에 몰려드는 듯하다. 피곤해서, 정말 피곤해서 조금 눈물이 난다. 앞에 놓인 길이 어룽어룽해 보인다.

미이야, 미안해. 엄마가 앞으로 더 잘할게. 울지 않을게, 속삭이며 선이는 미이를 꼭 끌어안는다. 얼른 눈물을 훔친다. 얇은 티셔츠를 통해 아기의 보드라운 촉감이 스민다. 언제인지 확실치 않지만 어느 더운 여름날 엄마가 자신을 품에 꼭 껴안았던 것 같다. 선이야, 미안해. 엄마가 앞으로 더 잘할게. 울지 않을게, 속삭이며 얼른 눈물을 훔쳤던 듯하다. 얇은 티셔츠를 통해 엄마의 부드러운 촉감이 스며들었던 것 같다. 그 촉감의 힘으로 지금까지 또박또박 걸어온 듯하다.

자, 고개를 항상 위로! 파이팅! 지칠 때마다 힘을 주던 바바라의 말을 되뇌며 선이는 고개를 든다. 앞을 본다. 50미터쯤 앞에 집이 보인다. 서민아파트의 현관이, 부엌과 거실이, 곧 우유를 타서 미이에게 먹일 자신의 모습이 보인다. 저녁을 먹고 이를 닦는 모습이, 아침에 일어나 미이의 기저귀를 갈아주는 모습이 내일, 모레, 글피 치까지 다 보인다.

선물

강미는 한스가 두고 간 차에 시동을 건다. 유치원에 가지 않은 지 일주일이 넘었는데도 카티는 집에 있겠다고 한다. 유치원에 안 가? 묻자, 하버지유치원이 더 좋아, 대답했다.

비교적 일찍 집에서 나온 그녀는 평소에 가던 길이 아닌 다른 길로 들어선다. 큰길이 나오자 오른쪽이 아닌 왼쪽으로 핸들을 꺾는다. 일 분이라도 덜 걸리는 길을 찾아볼 심산이다.

강미는 한참 동안 헤맨다. 길이란 언제나 생각했던 것과 달리 멀고 구불구불하다. 공사 중이기도 하고 정체가 심하기도 하다. 인생처럼.

한참 헤매던 끝에 강미의 눈에 익숙한 거리가 나타난다. 그 길로 들어선다. 신호등에 빨간 불이 들어와 차를 세운다. 왼쪽으로 30미터쯤 앞에 어떤 부부의 뒷모습이 보인다. 그들 앞에 높이가 비교적 높은 차의 뒷문이 활짝 열려져 있다. 부두에서 흔히 보는 하역용

램프가 땅에 닿아있다. 장애아가 탈 수 있게끔 차를 개조한 모양이다. 아이 아버지가 휠체어에 탄 아이의 뺨에 뽀뽀한다. 5살쯤 되어 보이는 남자아이가 앉아있는 휠체어와 아버지를 실은 램프가 유압으로 서서히 올라간다. 아버지는 4개의 안전벨트로 휠체어를 고정한 다음 아이에게도 안전벨트를 매준다. 아이에게 다시 뽀뽀한다.

건강한 아이 하나 키우는 것도 힘든데 저들은 얼마나 힘들까, 생각하는데 아버지가 램프에서 내려 뒷문을 닫는다. 둘을 지켜보던 아이의 엄마와 마주 본다. 활짝 웃으며 키스를 나눈다. 꼭 껴안은 다음 서로의 등을 툭툭, 두드려준다. 엄마가 차의 운전석으로 간다. 아버지는 차의 옆으로 다가가 유리창을 똑똑 두드린다. 아이에게 손을 흔든 다음 손으로 키스를 날린다.

빵빵. 그들의 모습을 바라보는데 뒤에서 차들이 난리이다. 신호등에 어느새 녹색불이 들어와 있다. 강미는 차를 출발시킨다. 진한 회색빛 하늘을 향해 연한 회색빛 담배 연기를 뿜는 모리츠를 왼쪽 차창으로 바라보며 차를 달린다.

*

신심은 어수선한 부엌을 치운다. 카티가 잘 도와준다. 제 엄마가 하듯 행주로 식탁을 싹싹 닦는다. 그는 커피를 한잔 내린 다음 카티에게 코코아를 타준다. 아이, 허리야, 카티가 소파에 엎드려

작은 주먹으로 톡톡, 허리를 두드린다.

둘은 점심을 차려 먹고 산책하러 나간다. 한국과 달리 현관문만 열면 나무가 보이고 숲이 보여서 기분이 상쾌하다. 예전에 지하 천 미터 아래에서 일할 때 숨이 턱턱 막힐 정도의 지열 때문에 땀이 흘러 열 번도 넘게 옷을 짜서 입고, 몇 번이고 장화 속에 괴인 물을 쏟아내다가도 꽃과 나뭇잎의 모양이 새겨진 화석을 발견했을 때 마음이 상쾌해지던 것처럼. 시커먼 탄가루가 날리고 전후좌우로 왕복 이동하며 날카로운 톱날로 석탄층을 절삭하는 호벨의 굉음이 전횡하는 그곳이 태곳적에는 꽃이 피고 나무가 무성하던 평원이거나 숲이었다는 생각에 숨통이 트였던 것처럼.

그는 깊게 심호흡을 한다. 카티의 자그마한 손을 잡고 그동안 걷던 거리가 아닌 다른 쪽을 택해서 걷는다. 어제와 달리 해가 난다. 여름은 여름이라 금방 기온이 오른다. 30분쯤 걷자 땀이 난다. 어느 집 앞을 지난다. 한국 사람처럼 보이는 나이가 지긋한 할아버지가 정원에 내놓은 의자에 앉아 이불을 덮은 채 눈을 감고 있다. 오랜만에 해바라기라도 하는 모양이다. 그 남자 앞에서 독일 할머니가 정원을 손질하고 있다.

"하버지, 저 할머니야. 하버지 쳐다본 할머니."

카티의 말에 독일 할머니가 고개를 든다. 수줍게 웃는다.

"할로~."

카티가 인사한다. 할머니도 할로, 웃으며 인사한다. 그들의 인사 소리에 나이 지긋한 할아버지가 눈을 뜬다. 신심의 모습을 보자 겁을 먹는다. 으—으— 신음을 내며 경기라도 일으킬 듯 표정을 굳힌다. 할머니가 놀라 그에게 다가간다. 괜찮아요, 괜찮아. 아무 일도 없어요. 자, 마음을 편안하게 가지고, 할머니가 그의 머리를 쓰다듬으며 말한다. 안정되는지 그가 휴우~ 한숨을 내쉰다.

"누군지 모르지만 당신, 참 친절하군요. 고마워요."

신심보다 10살 정도 많아 보이는 그가 독일 할머니에게 한국말을 한다. 신심은 어쩐지 멋쩍어 얼른 카티의 손을 잡고 가던 길을 간다. 저기요, 뒤에서 독일 할머니가 그들을 부른다. 천천히 다가온다. 아까 할아버지가 그녀에게 뭐라고 말했는지 신심에게 물어본다. 그는 들은 대로 전해준다.

"남편은 치매에 걸렸어요. 치매가 온 뒤로 한국말만 하네요. 그렇게 진저리치던 한국말을요. 한국 사람을 보고 저렇게 겁을 먹으면서도 말이지요."

그녀가 눈물을 글썽이며 말한다. 말한 김에 남편에 대해 잠시 이야기를 한다. 그녀의 남편은 어느 날 채탄 작업 후에 3명의 한국 남자에게 납치되었다. 주독한국대사관에 끌려가 밤새도록 구타와 고문을 받았다. 한국전쟁 때 헤어진 형의 생사를 알고 싶어 동독 주재의 북한대사관에 한번 다녀온 게 이유였다.

그는 이틀 뒤에 다른 혐의자와 함께 함부르크 공항으로 끌려갔고, 한국에 도착해서는 고문을 당했다. 물고문과 병행한 전기고문이었다. 고문기술자는 엄청난 고통을 주면서도 사람을 죽이지 않는 법을 잘 알고 있었다. 윗선이 없는 그는 특히 고문을 많이 당했다. 서독은 독일자주권의 심각한 침해라는 이유로 한국에 강력히 항의했다. 한국과의 국교단절과 원조 중단을 시사하기도 했다.

이상한 간첩사건이 발생한 지 3년 만에 모든 이상한 간첩들이 풀려났다. 납치와 재판의 속사정을 발설하지 않고 한국정부를 비난하지 않겠다는 서약서에 서명을 한 뒤였다. 6·8 부정선거가 발생한 그때 정치적 목적으로 중앙정보부가 대규모의 간첩사건을 터트린 것이었다.

그는 서독으로 돌아왔다. 광산에서 일 년간 더 일한 다음 그만두었다. 사정을 제대로 알 리 없는 한국동료들은 그를 피했다. 괜히 아는 척하다가 신상에 안 좋은 일이 생길까 봐 두려워했다. 그는 육체적인 충격 이외에 정신적인 충격까지 받아 이후 한국인을 만나지 않았다.

신심은 독일 할머니의 이야기를 들으며 아무 말 없이 고개를 끄덕인다. 그러다 고개를 늘여 카티를 넘겨다본다. 다시 잠든 할아버지의 옆에 앉아 다리를 까딱이며 할머니가 쥐여준 사탕을 맛있게 빨아 먹고 있다. 그녀는 곱슬곱슬한 갈색머리인데다 눈이 커다란 짬뽕이라 할아버지가 깨어도 놀라지 않을 것이다.

"아, 초면에 이렇게…… 차 한 잔 대접 없이 이렇게…… 죄송합니다."

"무슨 말씀을요. 괜찮아요. 정말 괜찮습니다."

"고맙습니다. 들어주어서 정말 고마워요. 한국인을 보면 겁에 질려하면서도 한국말만 하는 남편 때문에 그만…… 저이, 한국이 무서우면서도 너무나 그리운가 봐요."

아, 네, 그것 참…… 나지막하게 대꾸하며 그는 다시금 눈가가 촉촉해지는 할머니를 안는다. 한국과 한국인이 외면한 이상한 간첩을 지금껏 보듬고 있는 독일 할머니에게 마음으로 감사의 인사를 전한다.

*

"요즘도 영화 자주 봐?"

강미는 청소를 마치고 일부러 모리츠를 찾아간다. 로비에서 커피를 함께 마신다. 나이가 비슷한 둘은 예전에 맥주 한 잔을 앞에 놓고, 담배를 꼬나물고 영화에 관한 이야기를 가끔 나누었다.

"영화를 볼 수 있었을 때가 좋았지. 지금은 시간이 없어."

"나도 비슷해. 결혼하고 아이가 생기니까 영화 볼 시간은커녕 세수할 시간도 없더라."

"그래도 세수는 가끔 하지 그랬어."

"아, 맞다. 그랬으면 지금보다 기미가 조금 덜 생겼을 텐데. 크크. 그럼, 영화를 보며 눈물을 흘리는 일도 없겠네?"

"별걸 다 기억하는군."

"난 중요한 것 말고 별것만 잘 기억해. 크크."

"영화를 볼 수 있었을 때가 좋았듯 영화를 보고 눈물을 흘릴 수 있었을 때가 또한 좋았지. 지금은 울지 않아. 이제 너무나 많은 걸 알아버린 거지. 근데 이렇게 몸소 행차를 다 하시고, 어쩐 일이야?"

"아침에 출근하다가 우연히 네 가족을 봤어. 아이가 어디 안 좋아?"

"응. 영아 저긴장증후군이라고 들어봤는지 모르겠다? 6개월이 지나도록 아이가 뒤집기를 안 하고, 9개월이 지나도 기지를 않아서 특별검사를 받았는데 그 병명을 말해주며 의사가 일 년밖에 못 살 거라고 했어. 의사가 차라리 주먹으로 내 얼굴을 정면으로 갈기는 게 덜 아팠을 거야."

"들어보기는 했어. 몸의 모든 근육에 힘이 빠지고, 호흡을 관장하는 근육마저 마비되면 치명적일 수 있다는……."

"그대로야. 아이의 고개가, 두 팔이, 두 다리가 축축 늘어지지. 그래서 가끔 죽음과 사투를 벌여. 하지만 정신지체는 없어. 아이에게 우리가 필요하고, 따르고, 웃고, 밥 잘 먹고, 화장실 가는 데 문제가 없을 때 우리는 행복하지. 또한 의사가 일 년밖에 못살 거라고 했는데 5년을 넘게 살고 있으니 참 감사한 일이야."

"응. 아침에 보니까 가족 모두 평화스러워 보였어."

"아내가 고생이 많지. 항상 아이 옆에 붙어있어야 하니까. 하루에도 몇 번씩 물리치료를 하는 곳에 데려다 주고 또 데려오고는 해."

"그렇구나……."

"어쩌다 우리 아이와 똑같은 병에 걸린 아이에게 나쁜 일이 생기면 가슴이 무너지지. 하지만 어쩌겠어. 다시 기운을 내 열심히 일하는 수밖에. 난 청소부를 착취해 회사를 살찌워주려고 직장에 나가고, 아내는 아이 옆에 붙어서 계속 시중을 들어주고 말이야."

"응……."

"단도직입적으로 물어줘서 고마워. 대답하면서 난 또 힘을 얻으니까. 뭐, 아버지와 엄마에게 못한 것을 지금 아이에게 몰아서 하는 중이라고 생각하고 있어. 담배 한 대 피울래?"

"아기 갖기 전에 끊었어. 혼자 끊기 어려워서 치료를 받았지."

"그랬구나. 부럽다. 난 아직 담배의 힘이 필요해."

"오늘 아침에 본 네 가족의 환한 모습, 영화의 어떤 장면보다 감동적이었어. 네게 이 말을 전해주고 싶었어."

졸지에 삼류영화 속의 주인공이 됐네, 영광인걸, 말하며 그가 일어선다. 강미도 따라 일어선다. 휴가에 대해 물어보지 못한 채 강미는 주차해 놓은 곳으로 걸어간다. 잠시 뒤돌아본다. 그가 입술을 내밀어 하늘로 담배 연기를 날리다가 엉거주춤한 자세로 손을 흔든다.

집에 돌아온다. 아무도 없다. 부엌의 설거지통에 놓인 그릇으로 보아 삼촌과 카티가 점심을 차려 먹고 산책을 나갔나 보다. 그녀는 대충 점심을 먹는다. 낮잠이나 한숨 자볼까, 생각하며 침실로 걸어간다. 삼촌의 여행 가방이 아직 복도에 놓여있다. 뚜껑이 제대로 닫히지 않아 그 사이로 이런저런 것들이 보인다. 쪼그리고 앉아 뚜껑을 열어본다. 오래되어 흐물흐물해진 속옷과 구멍 난 양말, 제대로 다리지 않아 구김 간 셔츠와 바지가 보인다. 그녀는 뚜껑을 닫는다. 그러다 다시 연다. 정해진 자리 없이 제멋대로 놓인 셔츠와 바지를 꺼내 똑바로 갠 다음 차곡차곡 가방 속에 집어넣는다. 그러다 가방 구석에 놓인 일기장 비슷한 것에 눈길이 닿는다. 그래, 예전에 삼촌은 늘 일기를 썼지, 생각하며 그녀는 쪼그려 앉는다. 일기장을 뒤적인다. 임종을 앞둔 엄마가 삼촌과 자신에 대해 이야기를 하고 있는 부분에 눈길이 닿는다.

사랑하는 성부와 성자와 성령의 주님, 밤새 당신의 은총이 소복이 내려 아내의 영혼이 조금 개었습니다. 어제와 오늘, 그녀의 소변량이 부쩍 많아졌습니다. 소변 색도 예전에 비해 묽어졌습니다. 저희를 사랑하신 당신의 은총이라 여기며 감사드립니다. 마침 회진을 온 수녀님과 간호사가 아내의 상태가 좋아 보인다며 아내와 저의 사진을 찍어주었습니다. 바짝 붙으라고 해서 제가 아내의 어깨 위에다 팔을 둘렀고, 아내가 제 어깨 위에다 새털보다 가벼운 머리를 올려놓았습니다.

워낙 힘이 없어 사진 찍는 일 하나만으로도 지쳤는지 아내가 다시 잠들었습니다. 잠들어 있는 아내의 뺨을 가만히 만져봅니다. 볼에 살이 없는 그녀의 피부가 까칠합니다. 하지만 그녀의 체온은 따듯합니다. 익숙한 체취가 맡아집니다. 제 앞에서 잠들어 있어서 행복합니다. 볼과 입술에 키스를 해주었습니다.

저를 편하게 해주려고 그러는지 아내가 내내 잠만 잡니다. 그러다 밤늦게야 깨어납니다. 물수건으로 등허리와 가슴을 닦아주고 요플레를 떠먹였습니다. 흐트러져 있던 아내의 정신이 신기하게도 맑았습니다. 우리는 얼마 만인지 모를 대화를 했습니다.

"여보, 미안해. 그리고 고마워."

아내가 말했습니다.

"뭐가 미안한데? 그리고 뭐가 고마워?"

"당신 아이를 낳아주지 않은 게 미안하고, 당신이 강미에게 야단을 치지 않은 게 고마워."

"당신, 헷갈리는 거 아냐? 당신이 아이를 낳아주지 않은 게 아니라 내가 낳지 말자고 한 거야. 얼마나 잘한 결정인지! 당신, 강미 하나만으로도 쩔쩔맸잖아? 그리고 강미가 고집이 세고 조금 게으르긴 했지만 딱히 야단칠 건 없었지. 예쁘지, 착하지, 똑똑하지……."

"사실 그때는 당신이 강미를 야단치지 않아 야속했어요. 친자식이 아니라 나처럼 간절한 마음이 아닌 거라고 생각한 거지요. 하지만 그때 당신마저 나처럼 행동했다면 지금 강미는…… 강미에게 내가 심했어요. 조급하게 굴었어요."

"자식에게 무슨 일이 있으면 부모는 늘 자신을 탓하지. 하지만 그렇지 않아. 그때 당신은 최선을 다한 거야. 덕분에 지금 강미가 잘살고 있는 거고."

"고마워요. 그냥 고마운 게 아니에요. 많이 고마워요. 나와 결혼해준 것도, 이렇게 항상 내 옆에 있어주는 것도……."

"고마운 건 나야. 우리 어머니를 끝까지 잘 돌보아주었잖아."

"날 사랑해주는 남자의 어머니는 돌보는 게 아니에요. 사랑해주는 거지. 내가 힘들어서 더 많이 사랑해드리지 못했어요. 그래서 당신에게, 그리고 어머니에게 항상 미안한 마음이에요."

"툭하면 미안하다네. 그 말, 어쩐지 섭섭하게 들리는걸?"

"아니에요, 여보. 섭섭해하지 말아요. 난 당신이 항상 자랑스러웠어요. 대통령보다도 더……."

"그건 듣기 좋아. 그러니까 계속해. 하하."

"지금 생각해보니까, 내가 욕심이 많았어요. 당신에게 강미의 좋은 모습을 빨리 보여주고 싶어서 조급하게 굴었어요. 당신에게, 또 강미에게 미안해요. 하지만……."

"하지만?"

"말 나온 김에 말이지만, 강미가 독일에 간다고 했을 때 당신이 잡지 않아서 또 야속했어요. 매일 싸우더라도 강미를 옆에 두고 싶었거든요. 아니, 더럭 겁이 났어요. 혹시 제 아빠처럼 다시 돌아오지 못하면 어쩌나 싶어서……."

"왜 이제야 말해? 그때 내게 슬쩍 운을 띄우지."

"대신 강미가 독일 남자와 결혼하겠다고 했을 때 당신에게 부탁했잖아요. 결사반대하라고. 걔가 그 먼 곳에서 산다는 게 싫었어요. 강미, 언제 한번 안 들어오려나?"

"상황을 보겠다고 했어. 걔, 아이 키우랴 살림하랴 많이 바쁜가 봐. 당신도 항상 그렇게 바쁘게 살았으니까 누구보다 당신, 강미를 잘 이해하지?"

"그럼요. 안 그래도 걔가 오고 싶은지 어젯밤 꿈에 나타났어요. 내가 말릴 새도 없이 땅바닥에 철퍼덕 주저앉더니 펑펑 울면서 말했어요. 약속보다 늦게 와서 엄마를 살리지 못했어, 미안해 엄마, 미안해 엄마, 라고. 멀쩡히 살아 있는 내 앞에서 말이에요! 괘씸하기도 하지!"

"……."

"아이에 대한 사랑은 마약 같아요. 강미가 독일로 그렇게 떠나니까 마약을 딱 끊어버린 듯 죽을 것만 같았어요. 하루 종일 울어도 시원하지 않았어요. 몸을 팔아서라도 마약을 사고 싶었어요."

"……."

"여보, 강미가 보고 싶어요."

"……."

"하지만 강미가 오지 않았으면 좋겠어요."

"……."

"지금의 나를 보면 강미가 마음 아파할 거예요. 마음 아파하는 강미를 보면 내 마음도 아파질 거예요."

"……."

"그러니까 당신, 강미에게 아무 말 하지 마세요. 그냥 잘 지낸다고 전해줘요. 알았죠?"

"……."

"왜 대답이 없어요?"

"알았어. 당신이 하라는 대로 할게."

"고마워요……."

"……."

언제나 함께 하시는 주님, 아내와 이야기를 나눈 다음 저는 졸음에 못 이겨 새벽에 자리에 누웠습니다. 아내의 고른 숨소리에 마음이 놓여 이내 잠에 곯아떨어졌습니다. 연속으로 커피를 마시고, 박카스와 피로회복제를 먹었는데도 말입니다. 주님, 제게 지혜와 인내를 주심에 인색하지 마시옵소서.

사랑의 주님, 아침에 아내가 임종실로 갔습니다. 마지막 선물로 아내는 제게 곤한 잠을 선물해주었습니다. 그러고 보면 제가 아내를 지킨 게 아니라 아내가 내내 저를 지켜주고 있었습니다.

주님, 수녀님이 아내의 몸을 염습해주셨고 신부님이 장례미사를 집전해주셨습니다. 강미가 독일에서 날아왔습니다. 주님, 지친 아내의 몸과 마음을 당신의 품에 포근히 안아주시옵소서.

*

딩동, 벨 소리가 난다. 삼촌과 카티가 현관문 입구에서 호호, 키키, 하하, 까르륵, 거린다. 산책에서 돌아온 모양이다.

강미는 삼촌의 여행 가방 속에다 얼른 일기장을 집어넣는다. 자리에서 일어나 현관문 쪽으로 걸어간다. 쪼그려 앉아 읽어서인지 다리가 저리다. 마음은 더욱 저리다.

현관문을 연다. 강미의 얼굴을 쳐다보며 삼촌과 카티가 놀란다.

"알레르기 때문에 눈을 비볐더니 말이야……."

강미가 둘러댄다. 등을 돌려 얼른 화장실로 간다. 엄마가 삼촌에게 마지막으로 곤한 잠을 선물로 주었듯 아버지가 내게 마지막으로 보낸 선물은 노란색의 책가방이 아니었구나, 그걸 들고 온 삼촌이었구나, 생각한다. 이제야 생각한다.

작품

"지금 한국에서 킴이라는 사람이 우리 회사에 찾아왔어요. 제품을 직접 가지고 가겠다고요. 하지만 줄 수 없어요. 그가 다니는 회사가 얼마 전에 우리와의 계약을 일방적으로 끊어버렸으니까요. 우리 제품이 비싸다나 어쩐다나…… 사실 그렇죠. 하지만 설비와 기술전수를 해주었으니까 우리도 비용을 뽑아야 하지 않겠어요? 누가 도둑놈 심보인지 원……."

독일회사 K에서 전화가 온다. 10년 넘게 기혼과 거래해온 회사이다.

"혹시 킴, 이라는 사람의 이름이 김지우, 아닌가요?"

"네, 맞아요."

"그에게 미리 그렇게 말씀해주지 않았나요?"

"당연히 말해주었지요. 근데 그가 제 말을 믿지 않았는지, 아니면 영어를 잘못 알아들었는지, 아니면 하면 된다는 한국인의 의지를 불태우려는 건지 지금 제 눈앞에 서 있네요. 그 제품 때문에 생산설비가 섰다고 해요."

"그 제품, 얼마짜린가요?"

설마 사람이 왔는데 안 주지는 않겠지, 어떻게든 되겠지, 싶은 생각으로 김지우가 독일로 날아왔나 보다, 기혼은 미루어 짐작한다.

"가격은 비싸지 않아요. 천 유로쯤 되지요. 한독무역에는 그 제품을 팔 수 있다고, 그러니까 그곳에서 사라고 말해주었어요."

"저희에게는 그 제품을 주셔도 되나요?"

"그럼요. 한독무역과 지금까지 아무 트러블 없이 오랜 시간 일을 해왔으니까요."

"제게 언제 보내줄 수 있나요?"

"지금 티앤티로 보내면 내일 받을 수 있어요."

"그는 언제 돌아간다고 하나요?"

"내일요."

"네, 알겠습니다. 지금 주문서를 보낼 테니까 가능한 한 빨리 그 제품을 보내주세요."

한독무역에게 1유로, 2유로를 따져서 오더를 보내는 회사가 얼마나 급했으면 천 유로짜리 물건을 가지러 비행기를 타고 왔을까 싶어 기혼은 입에다 깨소금을 한 숟가락 넣고 아작아작 씹고 있는 기분이다.

"네, 그렇게 하지요."

"감사합니다. 기분이 아주 좋습니다. 그럼, 수고하세요."

내가 뭐랬어, 죽더라도 한 방 먹여주고 죽을 거라고 했지? 세상 참, 오래 살고 볼 일이야, 중얼거리며 기훈은 회심의 미소를 짓는다. 그러다 금방 얼굴을 굳힌다. 기분 좋게 한 방 먹여주었으니까 이제 죽는 일만 남은 건가?

"안녕하세요. 한독무역입니다. 독일에 오셨다고요?"

기훈은 김의 휴대폰으로 전화한다. 김이 가능한 덜 미안하도록 평소의 목소리를 낸다.

"아, 네…… 안녕하세요……."

"이번에 가지러 오신 제품을 제가 지금 K사에 주문하려고 하는데……."

기훈은 K사에 이미 주문서를 보냈지만 넌지시 김의 속을 떠본다.

"아, 가능한 한 서둘러주세요. 한독무역에다 오더를 보내라고 한국에 연락해놓겠습니다."

"네. 감사합니다. 오늘 주문하면 내일은 주말이니까 월요일에 저희에게 제품이 도착할 겁니다. 도착하자마자 한국으로 보내드리겠습니다."

티앤티 번호가 있으면 인터넷으로 제품의 추적이 가능하다. 다음 날 오전에 찾아 그에게 직접 전해줄 수도 있다. 하지만 그렇게 하지 않는다. 김의 속을 조금 더 태우고 싶다.

"네, 감사합니다. 꼭 부탁드립니다."

"네, 잘 돌아가시고요. 제품 내보낸 뒤에 다시 연락드리겠습니다."

"네, 네. 감사합니다. 근데……."

"네?"

기혼이 전화를 끊으려는데 김이 무슨 말인가 하려고 한다.

"아, 아무것도…… 아니, 그게 아니라…… 아, 이놈의 독일회사, 해도 해도 너무하네요. 제품이 급해서 연락하면 담당자가 맨날 휴가라고 하고, 담당자가 있어도 일을 세월아 네월아 속 터질 정도로 더디게 하고, 사람이 찾아왔는데도 찬바람이 쌩쌩 일 정도로 매정하게 굴고…… 예전에 자기네 회사 직원이 방문하면 우리 사장님이 직접 달려나가 환영을 해주었는데 말이죠."

"독일회사가 워낙 그래요. 융통성 없이 뻣뻣하죠. 휴가도 일 년에 6주이고, 아파서 일하러 나오지 않는 날도 부지기수예요. 저도 일하다가 속이 터집니다. 한국에서는 급하다고 하지 여기서는 늦장을 부리지…… 과장님의 마음, 백 번 이해합니다."

말은 그렇게 하지만 독일회사가 오죽하면 김에게 그렇게 매정하게 굴었을까, 짐작이 가고도 남는다.

"재주는 누가 부리고 돈은 누가 챙긴다고, 우리가 물건을 생산해서 팔면 그 독일회사는 제 몫을 날름날름 챙겨가기만 했어요. 완전 도둑놈 심보 아닌가요? 우리도 그동안 많이 컸다는 걸 알리기 위해 윗선에서 얼마 전에 계약을 일방적으로 끊어버렸는데, 그래서 그렇겠지만…… 그래도 그렇지……"

"그러게요. 무척 속상하시겠어요."

처음에 손때 하나 안 묻히고 남의 돈으로 폼 나게 사업을 시작했으니까 그걸 지불해야지 별 수 있냐, 기혼은 속생각을 하면서도 그렇지 않은 척 대꾸한다.

"네, 사장님 말씀을 들으니까 분이 좀 가라앉네요. 감사합니다. 이번 제품에 대한 처리 또한 미리 감사드립니다."

"무슨 말씀을요. 제가 감사하지요."

감사합니다, 라고 김이 말했지만 앞으로 사업에 관한 한 변화가 없으리라는 걸 기혼은 안다. 그의 말대로 '윗선'의 입김으로 대세가 다른 회사로 넘어간 게 분명하니까. 아마 이번처럼 그는 비상시에만 연락해올 것이다. 아니, 창피해서 다시는 연락하지 않을 수도 있다. 제품을 직접 들고 가지 못해 문책을 당하거나 잘리기까지 할 수 있다. 알고 보면, 조금 들여다보면 불쌍한 인생이다. 그래, 알고 보면…… 조금 들여다보면…….

그는 넌지시 아내를 바라본다. 그녀는 돋보기를 쓴 채 굼뜬 손놀림으로 열심히 영수증 정리를 한다. 항암치료 때 빠졌던 머리카락과 눈썹, 그곳의 털이 다시 났지만, 줄었던 몸무게가 다시 늘었지만 나이는 어쩔 수 없어 딱 할머니의 모습이다. 어젯밤에 한 침대에서 잤고, 조금 아까 아침을 빵으로 함께 때운 그녀의 모습이 너무나 익숙해서 낯설기조차 하다. 하긴, 그녀의 눈에 자신 또한 다르지 않겠지. 그는 흠흠, 헛기침한다.

얼마 전에 그의 생일이라고 아들 내외가 손녀들을 데리고 왔다. 그때 기혼은 얀의 귀밑에서 흰머리를 보았다. 금발이었던 아내의 머리와 미들브라운 색이었던 아들의 머리, 까만 머리였던 자신의 머리가 얼마 후에 흰머리로 통일될 거라는 생각이 단초가 되어 갑자기 죽음에 대한 상념에 휩싸였다. 죽음에 대한 상념이란 다름 아닌, 삶에 대한 환기였다. 울라가 죽지 않고 살아 있어서, 아들네 가족이 아프지 않고 건강해서, 자신 또한 큰 병 없이 그럭저럭 살아가고 있어서 다행이라는 생각이 드는 한편, 먹기 싫은 것부터 먹고 맛있는 것은 남겨두었는데 그걸 누군가 빼앗아 가버린 듯 억울한 생각이 들어 그는 한참 동안 무표정한 얼굴로 의자에 앉아있었다. 얀을 비롯한 식구들이 슬금슬금 그의 눈치를 보았다.

흠흠, 소리에 아내가 그를 바라본다. 따로 표현은 않지만 그에게 있어 그녀는 아내라는 비타민이다. 번데기 앞에서 주름 잡고 멍게 앞에서 여드름 자랑한다고, 암환자 앞에서 머리가 아프다고 인상을 팍팍 써도 견뎌준 사람이다. 그녀 옆으로 다가가 등이라도 한번 두드려주고 싶다. 하지만 그는 그렇게 하지 않는다. 아니 그렇게 하지를 못한다. 그는 자신의 마음을 표현할 재간이 없다. 그렇게 해야지, 마음을 먹는 순간 미치고 팔짝 뛸 정도로 조바심만 날뿐이다.

*

얀과 베티, 음향기술자와 카메라맨, 분장사와 촬영감독, 총 6명이 일주일의 여정으로 한국에 간다. 경비 절감을 위해 베티를 뺀 스텝 모두 이코노믹 클래스를 끊었다. 베티가 잦은 여행에 피곤해

죽겠다고 징징거렸기 때문에 그녀만 비즈니스 클래스로 끊어주었다. 팀원이 바뀌는 스텝과 달리 화면에 계속 얼굴을 비춰야 하는 사회자는 항상 여행에 따라다녀야 한다. 피곤한 게 사실이다. 베티가 좋아하면서도 미안해한다.

여행을 많이 해서 좋겠다며 사람들이 부러워하지만 천만의 말씀이다. 화장실에 제때 가지 못해 변비에 걸리고, 시차 때문에 잠을 못 자 항상 피부트러블이 생긴다. 물과 음식이 바뀌어 배앓이를 하기도 한다. 출장에서 돌아와서는 사무실로 직행해 찍어온 것을 급히 편집해야 한다.

그나마 팀워크가 좋아야 견딘다. 매일 만나기 때문에 까칠한 사람이 하나라도 끼면 상당히 피곤해진다. 직원 채용 시 가장 먼저 보는 게 언어이지만 그것 못지않게 인간성을 주목해서 본다. 사람을 캐스팅해서 만나고, 이야기를 나누고, 메일과 전화로 지속적인 연락을 주고받고, 가끔 달래주기도 해야 하기 때문이다.

한국으로 날아가는 그들의 손에는 이영준의 생년월일과 출생지, 그리고 '한국파독광부협회'의 회원인 박의 전화번호가 쥐어져 있다.

한국에 도착한다. 한국의 여름은 후텁지근, 그 자체이다.

다음 날 아침부터 그들은 촬영에 들어간다. 차는 늘 그랬듯 두 대가 돌아다닌다. 화면에 나타나는 차와 화면에 나타나지 않는 차, 두 대. 화면에 나타나는 차를 찍는, 스텝이 타고 다니는 차는 카메라의 화면 밖 저 멀리에 숨겨놓아야 한다.

우선 촬영감독이 차에서 내려 장소와 상황에 맞게 촬영 스케줄을 짠다. 그의 지시대로 몇 분 몇 초에 차가 카메라 화면 안으로 들어와야 한다. 네가 이곳에서 저곳까지 10초 동안 걸어가, 10분 후에 네가 자동차에 올라타, 그가 구체적으로 지시한다.

스텝은 방송에 1초 정도 나오는 '안양'이라는 표지판을 찍기 위해 그 표지판을 찾아 차 두 대에 나눠 타고 한참을 달린다. 미국 영화가 시청자의 감성을 자극하기 위해 심리학자를 동원해 한 장면 한 장면을 찍어나가듯 그들도 시청자의 심금을 울리기 위해 끊임없는 조작을 가한다. 화면에 드러나지 않을 뿐이다. 18퍼센트의 시청률이 이번의 목표이다.

독일에서는 몰랐는데 한국에 오니까 얀은 동료가 독일인이라는 게 느껴진다. 아니, 출발 전에 조금 눈치채기는 했다. 한국 날씨는 어때? 한국에도 아스피린이 있어? 한국에 어떤 옷을 가져가야 하지? 한국인은 독일인을 어떻게 생각해? 그들은 끊임없이 물었다.

스텝이 점심 무렵에 보신탕집을 지날 때이다. 그들은 얀이 개를 잡아 끓여 먹기라도 한 듯 경멸의 눈길을 보낸다. 너희가 비둘기를 잡아먹는 거랑 다를 바 없어, 프랑스인이 말을 잡아먹는 것과 다를 바 없다고, 얀이 부드럽게 웃으며 말한다.

"한국에 오니까 얀, 네 말투와 행동이 달라졌어. 고개를 숙여서 정중히 인사하고, 목소리가 고분고분해. 너, 우리 동료 같지가 않아. 독일에서는 네가 완전 독일인인 줄 알았는데 말이야."

스텝이 이구동성으로 말한다. 아, 내가 한국인이구나. 말투와 행동에 좌우되는 게 국적일 수도 있구나, 얀은 생각한다. 하긴 한국이라는 단어를 듣는 즉시에 떠오르는 단어를 말해보세요, 라고 누군가 그에게 말한다면 당연히 아버지라고 대답할 것이다. 돈에 집착하고, 자식에게 만족하지 않고, 매사 독단적이며 무뚝뚝해 항상 불편한 아버지지만 그는 은연중에 아버지의 한국 말투와 한국적인 행동의 일부를 따라 하고 있을 것이다.

"이거, 먹는 거야?"

"나, 앉아도 돼?"

"여기 놓인 물, 마셔도 될까?"

얀이 촬영을 일단락 마친 스텝을 일식집에 데리고 가자 그들은 애기처럼 별걸 다 물어본다. 독일에서 일식집에 한 번도 안 가본 사람들 같다.

"돈은 어떻게 내는 거야?"

"팁을 줘야 하는 거야?"

"인사는 어떻게 해?"

일식집에서 나갈 때도 그들은 얀에게 동시다발적으로 묻는다.

"돈을 어떻게 내기는. 손으로 지갑을 열어서 원화를 꺼낸 다음 카운터에 앉아있는 사람에게 건네주면 되지."

"한국에서는 일반적으로 팁을 안 줘. 하지만 서빙한 아주머니에게 만 원 정도 드리는 것도 괜찮아."

"고개를 숙이며 맛있게 잘 먹었습니다, 안녕히 계세요, 라고 말하면 돼. 한국말이 자신 없으면 영어로 해도 되고. 그 정도는 알아들어."

얀은 날씨가 후텁지근한데다 독일과 달리 거리와 식당에 사람이 많고 시끄러워 정신이 하나도 없다. 그런 와중에 스텝의 질문에 일일이 대답을 해주자 짜증이 조금 난다. 낯선 나라로 촬영을 떠난 경우에는 모두에게 모든 게 낯설기 때문에 서로가 알아서 적응하고 또 도와주기도 한다.

하루의 일정을 마친다. 그들은 늦은 저녁을 먹으러 삼겹살집에 들어간다. 그때에도 스텝은 얀이 하는 대로 따라 한다. 얀이 신발을 벗으면 따라 벗고, 숟가락을 집으면 따라 집고, 물을 마시면 따라 마신다. 그가 손 위에 상추를 올려놓은 다음 고기와 마늘과 고추장 순으로 얹으면 그들도 똑같이 한다. 얀이 매워도 참을 만해 물을 마시지 않으면 동료들도 매워서 어쩔 줄 몰라 하면서도 물을 마시지 않는다.

얀이 팔팔 끓는 된장국에다 밥을 비벼 먹자 그들도 똑같이 먹는다. 매운 혀 위에 뜨거운 국이 닿자 그들의 얼굴이 빨갛게 달아오른다. 바닥에 앉아있기가 힘든지 무릎을 세웠다, 옆으로 뻗었다 난리를 치면서도 남기지 않고 끝까지 다 먹는다. 애들 5명을 데리고 다니는 기분이다.

저녁을 먹은 뒤에 그들은 서울의 거리를 걷는다. DVD방, PC방, 노래방, 찜질방, 빨래방 등 수많은 간판에 불이 들어와 있다. 24시간 영업이라고 쓰여 있다.

"방이 뭐야? 빵은 아니겠지?"

동료 하나가 묻는다.

"방은 공간을 나타내는 단위야."

"아, 그렇구나. 다른 건 대충 감이 잡히는데, 찜질방이 뭔지 모르겠어."

"사우나 비슷한 곳이야. 땀 한번 흘리고 나면 몸이 개운해지지. 이열치열이라고, 한국인은 이렇게 더운 날에 뜨겁고 매운 음식을 먹고, 그것도 모자라 뜨거운 곳에 들어가 몸을 지지고 나오지. 어때 들어가 볼까?"

"좋아. 근데 뭘 준비해야 하지?"

"아무것도 준비하지 않는 게 준비야. 가면 타월도 주고 입을 것도 줘. 먹을 것도 있고 놀 거리도 있지."

"와우, 재밌겠다."

그들은 눈을 반짝이며 찜질방으로 들어간다. 물론 카메라 없이. 그들이 나타나자 구경거리 생겼다는 듯 사람들이 쳐다본다. 할아버지 할머니들은 대놓고 쳐다본다. 베티가 찜질방에서 내준 분홍색 티셔츠와 반바지를 입고 나타난다. 펑퍼짐한 독일 아줌마 스타일인 그녀는 마치 쫄티에 핫팬츠를 입고 있는 듯하다. 그녀는 주위의 한국 여자들을 부러운 눈으로 바라본다. 참 날씬하네, 감탄사를 연발한다. 얀이나 동료들도 베티와 비슷한 모습이다. 중학생의 옷을 빌려 입은 듯 티셔츠가 껑충 올라가 있다.

얀을 따라 그들은 불가마 속에 들어가 땀을 뺀 다음 수면실로 들어간다. 마룻바닥이라 배기는지 불편해하면서도 재미있어 한다. 얀은 눈을 좀 붙이려고 눈을 감는다. 그때 어떤 녀석이 성적인 시도를 한다. 게이 중의 하나일 터이다. 이성애자가 매춘하거나 윤락업소에서 무분별한 원나이트스탠드를 하듯 그런 몰염치한 성추행 때문에 게이가 비난을 받는다. 게이조차도 이런 경우를 음지 또는 치부로 생각한다.

얀은 한국에 오기 전에 인터넷으로 한국 게이커뮤니티에 들어가 검색해보았다. 일부러 몸을 만지게 한 다음 그걸 빌미로 폭행 및 신고를 해 돈을 타내는 사람이 있다, 그럴 때 트러블이 생기는 걸 굉장히 두려워하는 게이는 찍소리도 못하고 돈을 뜯긴다, 주인이나 주변 사람들은 방관한다, 그런 내용의 글을 읽었다. 그러니까 지금처럼 게이로부터 허벅지와 성기를 터치 받았을 때 자칫 잘못 반응하면 돈을 뜯기기도 하는 것이다. 반면 상대방이 마음에 들어 그러는 경우가 있는데, 그게 싫으면 손으로 살짝 쳐내거나 돌아누우라고 쓰여 있었다. 얀은 동료 쪽으로 돌아눕는다. 다행히 게이가 조용히 일어나 수면실에서 나간다.

게이가 여성스러운 남자를 좋아한다는 건 선입견이다. 게이의 대부분이 파트너를 찾을 때 여성스럽지 않은 분, 이라고 적는다. 여성스러운 남자를 좋아할 거면 그냥 여자를 사랑하면 된다는 게 게이의 생각이다. 조금 아까 그 게이도 얀이 여성스러워서 유혹한 게 아니다. 얀은 보통의 남자처럼 생겼고, 보통의 남자처럼 행동한다. 특히 얀은 성 정체성 숨기기 대왕이라 게이가 게이를 알아보는 레이다에 대부분 걸리지 않는다. 그 게이는 짬뽕인 얀의 특이한 모습에 관심이 잠시 쏠린 듯하다.

호텔로 돌아온다. 한국은 밤 11시, 독일은 오후 4시이다. 얀은 안나와 카톡을 한다. 그들은 그날 이후 더 많은 이야기를 나눈다. 프레드와 캐테가 아침을 함께 먹지 못하고 아무 말 없이 헤어진 것과 다르다. 이 사람이 나를 사랑하는구나, 나를 위해 마음을 열어놓았구나, 싶어 상대에 대한 사랑이 각별해진다. 새로운 시작이다. 아이들에게는 우선 아무 이야기도 하지 않기로 했다.

'얀, 한국은 어때? 혹시 거기에서 당신의 왕자님을 찾은 건 아니겠지? 크크.'

'헐~ 안나, 독일은 어떤데? 당신이야말로 그사이에 마음에 드는 남자를 찾은 게 아냐?'

'얀, 요즘 나는 동성애에 관한 공부를 하고 있어. 당신을 좀 더 이해하기 위해서 말이야. 모르던 세계라서 흥미로운걸?'

'흥미로워하는 거, 호기심에 눈을 반짝이는 거, 그거 노 땡큐야. 그게 무슨 구경거리야? 당신 공부나 열심히 해. 마지막 시험이 얼마 남지 않았잖아?'

'아, 미안. 그렇지만 당신의 그 대답, 노 땡큐라는 대답 또한 흥미로운걸? 호호.'

'아이들은?'

'잘 지내. 가끔 내 신경을 긁는 걸 빼면 말이야.'

'쪼옥~ 아빠의 키스를 전해줘.'

'응, 알았어. 얀, 누군가가 당신을 빼앗아 갈까 봐 겁이나. 내가 당신을 얼마나 사랑하는지 이제야 알겠어.'

'나도 당신을 사랑해. 세상에서 가장 멋진 여자를 누군가에게 빼앗길까 봐 나도 사실 겁이나. 흐흐.'

'우리는 천생연분이얌. 크크.'

'그러게 말이얌. 하하.'

스텝은 다음 날 아침, 광주로 떠난다. 한국으로 떠나기 전날 기혼이 얀에게 전화했다. 이곳저곳 수소문해본 결과 박이라는 사람을 알아냈다고 전했다. 박은 한국에 주재하는 '한국파독광부협회'의 회원인데, 이영준에 대해 알고 있다고 했다. 얀은 독일에서 떠나기 전에 박에게 전화했다. 박은 친절했다. 기꺼이 도와주겠다고 했다.

광주에 도착한다. 광주도 서울과 마찬가지로 후텁지근하고 시끌벅적하다. 박은 다음 날 만나기로 약속했다. 사실 박을 만날 이유는 없다. 전화만으로도 충분하다. 하지만 장면의 흐름에 긴장감과 박진감을 주기 위해 그들은 수고로운 작업을 마다치 않기로 했다.

다음 날 아침, 그들은 박을 만난다.

"제가 직접 아는 건 아니고요, 해남에 사는 사람이 있는데, 이영준과 독일에서 함께 일했어요. 제가 그 사람의 주소를 적어드릴게요. 저보다 많은 걸 이야기해줄 거예요."

박이 말한다. 그게 전부이다. 그 장면을 찍기 위해 그들이 광주까지 내려간 것이다. 베티가 해남으로 차를 몬다. 아니, 그런 척한다. 한국어로 된 교통 표지판이나 간판을 못 읽는 베티가 한국의 그 많은 차를 요리조리 피해 가며 운전을 하는 건 자살행위이다. 그들은 운전사를 따로 두었다. 한국인의 표현을 빌리자면 그들은 지금 생쇼를 하고 있는 것이다.

해남은 광주에서 90킬로미터 정도 떨어져 있다. 2시간이 걸린다. 계속 에어컨을 틀어놓아서인지 얀은 목이 칼칼하다. 두통까지 온다.

"안형하쎄여."

베티가 해남에 사는 사람에게 한국말로 인사한다. 박이 소개해준 그는 소를 키우고 있다.

"뭘 도와드릴까요? 무슨 일인가요?"

그가 다가오며 묻는다. 미리 말을 맞춰놓았음에도 카메라 앞이라 그의 말과 행동이 어색하기만 하다.

"이영준씨를 찾습니다. 저는 독일방송국에서 나온 베티입니다."

베티가 이영준의 사진을 내밀며 말한다.

"아, 이 사람, 제가 압니다. 독일에서 함께 일했어요."

찍은 지 30년이 넘은 이영준의 사진을 보고 그가 이영준을 금방 알아보는 척한다.

"아, 그러세요? 그는 지금 어디에 있나요?"

"한국에 돌아온 뒤로 옥천에서 한 번 봤어요. 근데 제가 소를 키우느라 바빠서 그 이후에 한 번도 못 보았네요. 미안하지만 지금 어디 사는지 모르겠어요."

"그가 어디에서 일했는지, 단서가 될 만한 게 하나라도 없을까요? 당신이 그를 찾을 수 있는 유일한 끈이에요."

"그 사람, 옥천에서 농사를 지었어요. 말해드릴 게 그것밖에 없네요."

그들은 옥천으로 간다. 베티가 몇 시간 동안 동네를 돌아다니며 묻는다. 작은 동네라 몇 시간 동안 묻고 다닐 게 없지만 그러는 척을 한다. 옥천에는 이영준을 아는 사람이 없습니다, 막다른 골목에 빠졌습니다, 어디서부터 다시 시작해야 할지 생각해보려고 합니다, 라는 멘트를 날린 베티가 힘 빠진 모습으로 호텔로 걸어 들어가는 모습을 그날의 마지막 장면으로 찍는다.

함께 방을 쓰는 동료가 샤워하는 동안 얀은 안나와 다시 카톡한다.

'안나, 독일에서 거리를 지나다가 동양 남자를 보면 아버지를 본 듯해 다시 쳐다보았는데, 여기 한국에 오니까 곳곳에서, 시시각각으로 아버지를 만나. 내가 어렸을 때 보았던 키가 크고 젊은 아버지에서부터 형과 내 손을 잡고 산책을 하던 중년의 아버지, 이제 키가 작아지고 얼굴이 까매진 지금의 아버지를. 그때마다 깜짝깜짝 놀라.'

'놀라운 일이야! 책갈피에 넣어두고 까마득히 잊어버렸던 지폐를 우연히 발견한 것 같은 반가운 재회야!'

'그런가?'

'얀, 실핏줄과 피부와 생각을 합해야 내가 되는 것처럼, 개인과 건물과 강을 합쳐야 나라가 되는 것처럼 당신이라는 사람 속에는 당신의 아버지가 들어있어. 그걸 당신이 까마득히 잊어버리고 있었던 거야. 지금 당신은 거기에서 그 누가 아닌 당신 속의 아버지를 만나고 있는 거야. 반가운 재회를 하고 있는 거라고!'

'아, 그런가?'

그들은 다음 날 아침, 해남시청으로 간다. 옥천면은 그곳의 관할지이다. 이영준이 그곳에 살았다면 분명히 기록이 남아 있을 것이다. 다행히 기록을 찾는다. 그가 광주가 아닌 담양에서 태어났다는 사실이 적혀 있는 기록이었다.

그들은 담양으로 간다. 그곳에서 하룻밤을 지낸다. 줄리아나가 아버지를 만난다면? 울고불고할까? 내가 아버지랑 화해한다면? 아, 상상이 안 돼. 그냥 이대로가 좋아, 생각하며 얀은 침대에 눕는다. 안나와 다시 카톡을 한다. 그게 사랑 때문이든 불안 때문이든 둘은 예전보다 더 열심히 카톡을 한다.

'안나, 별일 없지?'

'응. 당신도?'

'응. 독일에 돌아가면 곧 엄마의 생일이라 아버지의 집에 가야 하는데, 그게 벌써부터 걱정이야.'

'부탁이니까 얀, 그런 걱정 하지 말고 내 걱정이나 계속해. 세상에서 가장 멋진 여자를 누가 빼앗아 가면 어쩌나, 하는 걱정 말이

야. 크크.'

'안나, 렘브란트의 그림에서처럼 아버지가 핏줄이 튀어나온 강인한 손과 여자처럼 부드러운 손, 두 손을 가졌으면 좋겠어.'

'당신의 아버지, 그 두 손을 모두 가지고 있어. 여자처럼 부드러운 손으로 당신을 어루만져주고 있지. 그걸 숨길 뿐이야. 숨기기 대왕의 아버지답게 말이야. 크크.'

'그런가?'

'그럼. 얀, 가끔 당신 집에 전화할 때 나, 당신과 당신 아버지의 목소리가 똑같아서 깜짝 놀라고는 해.'

'정말?'

'응. 너무 다른데 너무 똑같아.'

'서로가 피해자라고 생각하는 것만 똑같은 줄 알았어. 흐흐.'

'흐흐.'

'아버지가 내게 몇 번 전화했어.'

'그래? 뭐라고 하셔?'

'그냥, 일이 잘 진행되고 있느냐고 물어.'

'듣던 중 반가운 소리인걸?'

'반가운 소리는 무슨, 의아한 소리지.'

'아니야. 아들이 먼 곳에서 고생할까 봐 걱정이 된 거야.'

'당신은 미숙아를 품어주는 인큐베이터 같아.'

'얀, 인큐베이터에 달린 손가락이 지금 너무 아파.'

'쏘리. 나도 그만 쓰고 이제 잘게.'

'굿 나잇, 얀!'

'굿 나잇, 마이 다링!'

이틀이 지난다. 줄리아나가 발갛게 상기된 얼굴로 한국에 도착한다. 처음으로 아버지의 나라에 온 것이다. 스텝이 그녀를 위해 모든 걸 준비해놓았다. 그녀는 아버지를 찾았는지 못 찾았는지 아직 모르고 있다.

베티가 줄리아나를 반갑게 맞이하는 모습을 카메라에 담는다. 둘은 조용한 방으로 들어간다. 모니터 앞에 앉는다.

"줄리아나, 당신의 아버지를 찾기 위해 최선을 다했어요. 어떻게 찾아다녔는지 함께 볼까요?"

"네, 그래요. 고맙습니다."

둘은 모니터를 응시한다. 모니터 속에 스텝이 이틀 동안 찍어놓은 것이 돌아간다.

이영준이 담양에서 농부로 살았다면 자신이 거둔 농산물을 시장에 내다 팔았겠죠? 제가 시장으로 한번 가보겠습니다, 말을 마친 베티가 다시 30년이 훨씬 넘은 이영준의 사진을 들고 시장의 여러 사람에게 다가가 보여주며 묻는다. 몰러, 몰러, 미안혀, 라고 말하는 사람이 대부분이다. 저리 가, 소리치는 사람도 있다.

"나, 이 사람, 알아요."

저리 가, 소리에 잠시 당황한 얼굴로 서 있는 베티에게 시장 사람 중의 어떤 아주머니가 말한다.

"이영준을 아세요?"

베티가 반색을 하며 묻는다.

"네. 전에 이곳에서, 바로 이 자리에서 농작물을 팔았어요. 지금 이 사람, 광주로 갔어요. 그 사람의 주소, 제가 알고 있어요."

"아, 고맙습니다. 정말 고맙습니다. 당신은 천사입니다."

스텝은 광주로 다시 돌아간다. 할아버지들이 자그마한 가게 앞에 앉아 담배를 피우며 낮부터 소주를 마시고 있다. 라면과 담배와 과자를 파는 작은 가게로 베티와 얀이 들어간다.

"무슨 일이신가요?"

이영준의 아내가 가게를 보고 있다가 흠칫 놀라서 묻는다.

"나쁜 일은 아니에요. 이영준 씨가 남편분 맞나요?"

베티가 웃으며 독일말로 묻고, 얀이 곧 한국말로 통역한다.

"네. 그런데요."

"아, 반갑습니다. 나중에 남편분이 다 말씀해주실 거예요. 그는 지금 어디에 있나요?"

"지금 집에 없어요. 땅끝마을에 낚시하러 갔어요."

"아, 땅끝마을."

"무슨 일로 그를 찾으시죠?"

"그분이 독일에서 일하실 때 무슨 일인가 있었어요. 그분과 우선 말씀을 나누고 싶네요."

그들은 그곳에서 150킬로미터 떨어진 땅끝마을로 곧장 차를 몬다. 묻고 물어 바닷가 방파제에서 낚시하고 있는 그의 뒷모습을 본다. 멀리서 베티가 그를 부른다.

"안형하쎄여, 안형하쎄여."

"누구신가요? 무슨 일이세요? 네? 독일에서요? 저, 독일말, 잘 못하는데요?"

이영준이 놀란 얼굴로 스텝을 바라본다.

"독일에서 줄리아나, 당신의 딸이 당신을 보고 싶어 합니다. 그래서 찾아왔습니다."

"마이네 토흐터? (내 딸?)"

"네."

모니터를 주시하던 줄리아나가 눈물을 흘린다. 그녀를 바라보는 베티의 눈이 빨개진다. 베티와 이영준이 조용한 곳에서 이야기를 나누는 장면이 모니터에 계속 흐른다.

"따님, 줄리아나가 보고 싶으셨나요?"

"그럼요. 굉장히 보고 싶었어요. 옆에 있어주고, 또 도와주고 그랬어야 하는데 갑자기 한국에 들어오고는 사정이 그렇게 되질 않았어요. 돌아갈 수가 없었어요. 그랬는데, 딸이 날 찾는다는 말을 들으니까, 눈물이 나네요."

"줄리아나는 자라면서 행복하지 않았어요. 생김새 때문에 다른 아이들에게 따돌림을 당했고요. 이 말을 들으니까 마음이 어떠신가요?"

"아파요. 마음이 몹시 아파요."

그의 작은 눈에 눈물이 맺힌다. 그 모습이 클로즈업된다. 그가 휴지를 꺼내 눈물을 닦는다. 화면을 바라보며 줄리아나가 소리 내어 운다. 베티도 따라 운다.

"줄리아나가 가장 알고 싶어 하는 건, 아버지가 자신을 사랑하는지에 대한 것이에요. 그렇습니까?"

"그럼요. 그렇고 말구요."

"제가 줄리아나의 사진을 가지고 왔어요."

베티가 사진을 건네준다. 그가 사진을 바라본다. 분홍색 티셔츠에 머리를 길게 늘어뜨린 줄리아나가 수국 옆에서 수국보다 더 환하게 웃고 있다.

"와…… 쇈……."

"쇈?"

"Ja(네)…… 쇈(예뻐요)…… 이 사진을 보는 것만으로도 행복합니다."

그는 딸의 사진을 가슴에 안는다. 그는 딸을 잊지 않고 있었다. 그러는 아버지의 모습에 줄리아나가 귀여워, 중얼거리며 웃는다.

"줄리아나에게 한마디 하시죠, 아버님."

베티가 말하자 그가 고개를 끄덕이며 말한다.

"줄리아나야, 이히 합 디히 립. 콤 쭈 미어. 이히 바르테 아우프 디히(줄리아나야, 보고 싶다. 내게로 오렴. 내가 기다리고 있을게.)"

30년이 넘도록 쓰지 않은 독일어가 그의 입에서 줄줄 나온다. 줄리아나가 모니터를 보며 아, 좋아…… 아, 행복해…… 울먹이며 말한다. 그러다가 와락, 베티를 끌어안는다. 당케, 베티, 나지막하게 말한다. 고맙기는 무슨, 베티가 울먹이느라 말을 끝까지 잇지 못한다. 베티의 셔츠 어깨 부분에 줄리아나의 화장품과 눈물이 얼룩진다.

베티는 줄리아나의 손을 잡고 방 밖으로 나간다. 방 밖의 오솔길에서 이영준이 딸을 기다리고 있다. 아버지가 많이 보고 싶었죠? 자, 이제 당신이 아버지에게 보고 싶었어요, 라고 직접 말할 시간이에요.

줄리아나는 걸음마를 떼는 아기처럼 조심조심 걷는다. 살짝 커브를 돈다. 이영준의 마르고 까만 얼굴이 한여름의 햇살 아래 나타난다.

"줄리아나?"

그가 그녀의 이름을 부른다. 그녀는 아버지에게 다가간다. 아무 말 없이 그의 품에 안긴다. 헤르치리헨 빌콤멘, 줄리아나(줄리아나야, 환영해)라고 말하며 그가 딸의 머리를 부드럽게 쓰다듬는다.

*

스텝이 독일로 돌아가기 전날 밤이다. 얀은 동료의 부탁으로 이태원에 간다. 동료인 분장사는 게이다. 다른 동료들은 노래방으로 몰려갔다.

이태원역 3번 출구로 나와 소방서 쪽으로 걷는다. 소방서를 지나 작은 골목으로 들어선다. 거기 게이업소가 모여 있다. 미로 같은 골목 곳곳에 게이를 상징하는 무지개색의 깃발이 날리고 있다.

남자들이 줄을 서서 입장을 기다리고 있다. 얀과 동료는 종이티켓을 받아 손목에 끼고 안으로 들어간다. 휘황찬란한 조명 아래 수백 명의 남자들이 음악에 맞춰 춤을 추고 있다. 우중충하기는커녕 밝고 생기가 넘친다. 남자의 비율이 90퍼센트인 걸 빼면 다른 클럽과 비슷한 분위기이다.

자그마하고, 예쁘장하고, 세련되고, 매력적인 한국 남자들이 많다. 얀은 순간적으로 탄탈로스의 고민에 휩싸인다. 제우스의 아들 탄탈로스가 비밀누설죄로 지옥에 떨어져 영원한 기갈고에 시달리는 형벌을 받았듯 그 또한 자신의 눈앞에 주렁주렁 매달린 달고 싱싱한 과일에 손을 뻗어 따먹을 수 없는 형벌을 받은 듯 마음이 힘들다.

얀은 동료와 함께 맥주를 마신 다음 잠시 춤을 춘다. 조금 늦은 시각에 호텔로 돌아온다. 동료는 한국 남자가 대부분인 그곳이 낯설었는지, 아니면 얀의 눈치를 보느라 그랬는지, 그것도 아니면 원거리로 사귀는 데에 자신이 없었는지 선뜻 누군가에게 다가가지 않았다.

'할로, 안나. 인큐베이터에 달린 손은 좀 어때?'

얀은 다시 안나와 카톡을 한다.

'할로, 얀! 당신에게 카톡이 오는 순간 좋아졌어.'

'아, 보고 싶다.'

'나도 당신이 보고 싶어. 근데, 궁금한데, 이영준의 아내의 반응

은 어땠어?'

'협조를 잘 안 해주려고 해서 조금 힘들었어. 찾아온 아이를 반가워하고, 방을 따로 만들어놓고, 선물과 용돈을 주는 사람이 있는가 하면 그녀처럼 반감을 보이는 경우가 가끔 있지.'

'왜 안 그렇겠어? 남편의 숨겨진 자식이 나타났는데. 당신, 혹시 숨겨둔 아이가 있는 건 아니겠지?'

'그럴 수도 있어. 그러니까 제발 긴장하고 있어, 안나. 흐흐.'

'얀, 줄리아나와 이영준의 관계가 앞으로 어떻게 될까?'

'글쎄. 방송을 끝으로 헤어진 사람도 있고 또 계속 잘 지내는 사람도 있는데, 모든 게 내 잘못이었어, 고백하며 뉘우치는 경우에는 오래도록 좋은 관계를 유지하지. 아마 둘은 좋은 관계로 잘 지내지 않을까 싶어.'

'그럼 다행이지. 당신, 피곤하겠다. 푹 쉬고 우리, 독일에서 보자.'

'응. 볼 날이 가까워지니까 더 보고 싶네.'

*

"그 물건 급하니까 금요일까지 보내주세요."

맨날 급하다지, 나보고 어쩌라고, 기혼은 중얼거리며 독일의 남쪽에 있는 작은 회사에다 전화를 넣는다. 빨리의 ㅃ자만 내비쳤는데도 담당자가 스트레스받아 목소리를 굳힌다. 가능한 빨리 보내주겠다, 라며 안 그래도 딱딱하게 들리는 독일어가 더욱 딱딱하게 들리게끔 말한다. 하지만 믿을 수 없다. 모든 게 시간 싸움이고 감정 싸움이라니까, 생각하며 기훈은 한국에다 전화를 건다. 상황을 말해준 다음 끊는다.

에잇, 전화비도 안 나오겠어, 속으로 화를 내며 그는 책상 위에 놓인 커피를 바라본다. 자신이, 자신과 함께 늙어가는 한독무역이 이 커피 같다는 생각을 한다. 향이 없는, 색으로만 겨우 커피인지 아는 차가운 커피. 버리기에는 아깝고, 그렇다고 마시기는 싫어 잠시 망설이다가 결국 버려지는 커피.

그는 창밖을 내다본다. 창으로 해가 들어와 그의 왼쪽 어깨가 따듯하다. 문득 형 생각이 난다. 형은 3년 전에 저세상으로 갔다.

그가 어렸을 때 형과 부모 사이에 커다란 다툼이 있었다. 이후 형이 사라졌다. 형의 나이 15살이었고 기훈은 8살이었다. 형이 사라진 뒤 아무도 그 상황에 관해 이야기하지 않았다. 기훈은 부모에게서 사랑을 느껴본 적이 없었다.

사라진 얼마 후에 형이 나타났다. 햇볕이 따듯한 언덕에 앉아 그는 형이 건네주는 빵을 먹고 우유를 마셨다. 형은 꾀죄죄한 얼굴로 그가 먹는 모습을 내내 지켜보았다. 자신도 배가 고픈지, 그래서 꼴깍꼴깍 침이 넘어가는지 형의 목울대가 가끔 재게 움직였다.

그는 형이 나타날 때마다 형보다 형의 손을 먼저 보았다. 형은 전처럼 빵과 우유를, 어떤 때는 돈을 조금 쥐여주기도 했다. 그가 고등학교를 나오고 군대에 다녀왔을 때야 비로소 형의 사업이 근근하게나마 유지되었다. 형은 결혼했고 아이를 낳았다. 돈에 쪼들리는 와중에도 빚을 내 그를 독일로 보내주었다. 그 빚을 기혼은 두고두고 갚았다.

오늘처럼 햇볕이 따듯한 날이면 그는 유년이라고는 없던 형 생각이 난다. 알코올 중독으로 폭력을 일삼던 아버지와 악만 남은 엄마, 그 둘 사이에서 내가 조금만 더 살았더라면 아마 살인을 저질렀을 거야, 라고 말하던 형의 비감한 얼굴이 떠오른다. 형, 형이 거기, 하늘 위에 있으니까 참 편하네, 하늘 한 번 쳐다보는 게 형에게 다녀오는 거니까, 기혼은 창문 너머 먼 하늘을 쳐다보며 중얼거린다.

하늘에서 시선을 거둔다. 그러다 창문 옆에 달린 달력을 본다. 달력의 중간쯤에 빨간 하트 두 개가 나란히 그려져 있다. 새 달력을 받으면 울라는 빨간색으로 자신과 기혼, 얀과 상현의 생일에 하트를 그려놓았다. 오늘은 상현의 생일이고 내일은 울라의 생일이라 빨간 하트 두 개가 나란히 그려져 있다.

오늘 아침에 울라가 어쩐지 분주하더라니, 중얼거리며 기혼은 자리에서 일어선다. 아침에 그녀는 상현의 산소에 갔을 것이고, 상현을 낳았던 병원에 들러 그 앞에서 잠시 서성였을 것이다. 지금은 상현이 다니던 유치원과 초등학교, 그리고 중고등학교를 둘러보고 있겠지…….

*

촬영감독이 컴퓨터 앞에 앉아 편집한다. 한국에서 일주일간 찍은 것 중에서 방송에 나갈 것과 나가지 않을 것을 구분한 다음 진행 순서를 정한다. 방송사가 선정한 선전을 사이사이 삽입한다. 녹음실에서 사회자와 성우의 멘트를 따로 녹음한다. 녹음 시에 크게 읽어라, 멋있게 읽어라, 슬프게 읽어라, 몇 분 안에 읽어라, 지시한다. 분위기에 맞는 음악을 골라 타이밍에 맞게 집어넣는다. 일 초의 어긋남도 없이 모든 것을 완벽하게 합성 및 조작한다. 하나의 건이 작품으로 거듭난다. 작품, 작위적인 완성품의 줄임말이다. 삶과 달리 45분짜리 프로그램이라 가능하다.

얀은 양해를 구하고 회사에서 일찍 나온다. 형의 생일이기 때문이다. 그는 어젯밤에 형이 좋아하던 맥주와 안주를 차에 실어놓았다. 맥주는 독일 맥주이고 안주는 이번에 한국에서 챙겨온 오징어 땅콩이다. 다음 날이 엄마의 생일이라 어차피 온 가족이 아버지의 집에 가야 하기 때문에 얀은 혼자 형에게 간다. 그는 차를 몰며 『그리고 아무 말도 하지 않았다』의 이 부분을 떠올린다.

프레드는 회사 심부름으로 아침 시간에 시내로 나간다. 낡은 잠바를 입고 그린색의 모자를 쓴 여자가 저 멀리에 보인다. 젊지 않지만 예쁜 여자이다. 그녀의 표정은 부드럽기도, 슬프기도 하다. 쳐다보기만 해도 가슴이 울렁거리고 흥분되는 여자, 아내 캐테이다. 그동안 술을 많이 마셔서 미쳐버린 게 아니다. 그녀는 진짜 캐테이다.

그는 4시간 전에 보았지만 그게 누구인지 금방 알아채지 못한 여자의 뒤를 따라간다. 여러 해 동안 밥을 함께 먹고 이야기를 나누고 수없이 껴안았던, 세상의 그 누구보다도 자신과 많이 연결된 여자이다. 하지만 금방 알아보지 못할 정도로 낯선 여자이기도 하다.

그녀가 하얗고 노란 마가렛 꽃을 산다. 장바구니 속에 담은 다음 천천히, 아주 천천히 걷는다. 그녀가 말하는 듯하다. 프레드, 꽃을 샀어요, 우리 아이들이 놀아보지 못한 초원에 피는 꽃을요.

그녀는 지금 전쟁 중에 죽은 쌍둥이의 묘지에 가고 있는 중이다. 그는 그녀를 불러 세울 용기가 없다. 계속 그녀의 뒤를 따라가기만 한다. 그녀가 걷는 리듬에 따라 목이 긴 꽃들이 장바구니 속에서 출렁거린다.

얀은 시립묘지의 주차장으로 들어가 차를 세운다. 내린다. 순간 그가 떠올린 책 속의 상황이 그의 눈앞에 오버랩 된다. 30미터쯤 앞에 어떤 남자가 걸어간다. 걸을 때마다 손에 든 꽃이 출렁거린다.

언제 저렇게 늙었나, 싶을 정도로 아버지의 뒷모습은 길거리에서 보는 여느 노인과 똑같다. 너무 다른데 너무 똑같아, 라던 안나의 말이 떠오른다. 그렇다면 저건 30년쯤 후의 내 모습이란 말인가? 그는 생각한다.

그는 아버지의 뒤를 따라 걷는다. 그러다 아버지를 앞서지 않기 위해 잠시 벤치에 앉는다. 휴, 길게 숨을 내쉬며 형이 살아 있다면 지금 어떨까, 잠시 생각한다.

"얀, 네 목에 커다란 흉터가 있는 거, 가족 모두가 알고 또 네 친한 친구들도 알아. 그게 어때서? 어렸을 때 림프샘에 생긴 혹을 떼어낸 게 무슨 흉이야? 왜 그렇게 남의 시선을 의식하지? 왜 스스로 스트레스를 받느냐고?"

겨울은 물론 여름에도 목에다 스카프를 두른 채 땀을 찔찔 흘리고 다니는 그에게 형이 보다 못해 한마디를 했다. 그러고 다니는 꼴이 흉터보다 더 흉하다고, 그러니까 앞으로 그러지 말라고 충고를 했다.

하지만 얀은 여름에도 계속 스카프를 하고 다녔다. 그렇게 대범한 척하던 형도 함께 살던 여자 친구에게 상처받아 마음에 흉터가 생겼고, 흉터를 가리느라 술을 마시지 않았나. 처음에는 그녀를 원망하며 술을 마셨고, 나중에는 그녀의 장례식에 가지 않은 자신을 원망하며 폭음하지 않았나. 그러다 죽기까지 하지 않았나.

그는 형의 장례식 한 달쯤 뒤에 산소에 갔다. 모양이 잡히지 않은 형의 산소처럼 날씨가 을씨년스러웠다. 바보, 중얼거리며 그는 스카프를 풀었다. 자신의 체온이 스민 스카프를 형의 차가운 비석에 둘러주었다.

얀은 벤치에서 일어난다. 형이 지금 살아 있다면 아마 또 잘난 척하며 이렇게 말했을 거야, 생각한다. 얀, 네 삶이야. 아버지가 아닌 네 자신과 먼저 화해해. 네가 네 자신을 감싸주라고. 왜 그렇게 남의 눈을 의식하지? 왜 스스로 스트레스 받느냐고?

바보, 형이나 잘해, 그는 속으로 중얼거리며 맥주와 오징어땅콩이 담긴 봉지를 손에 쥔다. 뭐, 형이 살아 있다면 아버지와 조금은 덜 불편한 사이가 되었겠지, 형을 혼내느라 아버지는 나 따위는 안중에도 없을 테니까, 생각하며 다시 걷는다.

형의 묘지가 보인다. 허리를 굽히고 묘지 위의 검불을 줍던 아버지가 물끄러미 비석을 바라본다. 손을 내민다. 언제나 뻣뻣하게 굴던 형의 얼굴이라도 쓰다듬듯 비석을 쓰다듬는다. 허리를 굽히고 있는 아버지의 뒷모습이 살짝만 밀어도 쓰러질 것 같다.

"할로, 파파!"

그가 아버지를 부른다. 얀의 목소리에 그가 끄응, 소리를 내며 굽혔던 허리를 편다. 뒤돌아본다.

"할로, 얀!"

얀의 목소리와 모습이 상현과 너무나 흡사해 기혼은 순간적으로 이게 얀인지 상현인지 분간할 수가 없다. 그는 놀란 표정을 감추려 어색한 웃음을 날린다.

"파파, 건강해 보여요."

얀 또한 아버지 못지않은 어색한 웃음을 날리며 잡담을 건넨다.

"너도 건강해 보이는걸? 맛있는 거 많이 먹고 왔냐? 탈은 나지 않았고?"

그는 아들에게 미안하지 않은 게 아니다. 고맙지 않은 게 아니다. 하지만 미안하고 고마운 마음보다 아들이 지금 그대로 버텨주기를 바라는 마음이 더 크다.

"네. 혈압은 좀 어때요?"

아버지는 날 이해하지 않아, 사람은 자신이 받아들이고 싶은 것만 이해하지, 생각하자 얀은 마음이 아프다. 처음이자 마지막으로 아버지에게 맞을 때처럼. 사실 그때 아버지의 광분한 모습에 놀라 마음이 아팠을 뿐 맞은 부분은 하나도 아프지 않았다.

"오래 살려고 약 열심히 챙겨 먹고 있다. 흐흐. 그래, 여독은 좀 풀렸고?"

"시차 때문에 새벽에 깨는 거 빼고는 괜찮아요."

"그래, 다행이다."

"사업은 어때요?"

"그게 뭐 늘 그렇지…… 네 일은 어떠냐? 계속 그렇게 사람을 갈구냐?"

"그게 뭐 늘 그렇지요…… 흐흐."

둘은 별것 아닌 잡담으로 어색한 상황을 때운다. 오래전부터 아주 느리게 찍어온 작품, 작위적인 완성품의 중반부처럼 느껴진다. 내일, 한 달, 또는 아주 먼 미래까지 아주 느린 속도로 찍은 다음 편집을 가할 작품의 전반부처럼 느껴지기도 한다. 45분짜리 프로그램이 아닌 삶이라는 이름의 작품은 워낙 그런 것인 듯하다.

공항에서

"강미야, 잘 있어라."

신심은 강미가 꾸려준 가방을 차에서 내리며 말한다. 며칠 전부터 강미가 시장을 본다, 빨래한다, 다림질한다, 난리를 치며 꾸려준 가방이다.

"응, 삼촌. 잘 가."

올 때와 달리 반듯한 차림의 신심을 보며 강미가 웃는다. 그를 안고 등을 몇 번 토닥인다. 이 말을 할까 말까 잠시 망설인다. 엄마한테 가거든 강미가 잘살고 있다고 전해줘, 라는 말. 하지만 엄, 자를 입에 올리는 순간 울컥한다. 친구분들이랑 좋은 시간 보내, 짧게 말하며 차에 오른다. 번잡한 공항을 빠져나온다. 운전대 위에 놓인 왼손의 약지를 내려다본다. 어젯밤에 삼촌이 건네준 엄마의 결혼반지가 거기 끼워져 있다. 오랜 시간 엄마의 체온이 스민 반지이다. 자신의 뺨이나 손을 스치던 엄마의 손은 언제나 거칠고

투박했기에 강미는 반지가 많이 클 거라고 생각했다. 하지만 그렇지 않았다. 그럭저럭, 맞았다. 서로 견뎌낸 마음고생의 크기도 그러할까?

강미는 아우토반으로 진입한다. 오전이라 그런지 도로가 한산하다. 강미는 다시 한 번 반지를 내려다본다. 조금 아까 삼촌에게 하지 못한 말을 속으로 한다. 엄마, 며칠 전에 문득 엄마가 보내주던 소포 생각이 났어. 그래서 삼촌에게 가방 하나를 꾸려 보냈지. 엄마의 소포에 비하면 별 것 아니지만 이것저것 사서 집에 들고 오고, 하나하나 정리해서 가방을 꾸리는 동안 엄마와 삼촌에게 정말 감사한 마음을 유지했어. 잘했지? 엄마, 힘도 장사지, 크고 무거운 소포를 우체국까지 어떻게 그렇게 매번 들고 갔어? 엄마, 고마워. 그리고 미안해…….

신심은 공항으로 들어가며 주머니 속의 봉투를 만지작거린다. 내가 받은 첫 월급이야, 한국에 도착하자마자 치과부터 가, 알았지? 하며 강미가 우격다짐 비슷하게 넣어주었다. 가방과 봉투에 담은 건 다름 아닌 오랜 시간 차곡차곡 쌓인 제 엄마에 대한 여러 가지 마음이겠지, 그는 생각한다. 그는 강미의 모습에서 아내를 보았다. 노총각이던 자신의 마음을 사로잡았던 아내의 매력을. 여보, 강미가 강단이 있으면서도 부드럽고, 까칠한 듯 정이 많아. 뽀얀 피부에 눈매가 서글서글하니 또 얼마나 예쁜지…… 당신, 강미를 아주 잘 키웠어. 당신, 훌륭해. 장해, 중얼거린다.

8시 30분, 그는 순서를 기다려 짐을 부친다. 9시, 희돈과 기혼을 만나기 위해 카페에 들어간다. 오후 1시 비행기라 넉넉잡고 11시쯤 들어가면 되니까 2시간 정도 이야기를 나눌 수 있다. 그 옛날, 세 사람 모두 긴장한 표정으로 각오에 각오를 거듭 다지며 도착했던 공항이다. 유영식의 유해를 넘겨받은 공항이기도 하다.

"어이, 여길세."

희돈이 손을 번쩍 들며 일어난다. 신심이 다가가자 희돈 옆에 예전의 심상한 표정 그대로 앉아 있던 기혼이 천천히 일어난다. 구형이라 성능이 좋지 않은 기계로 스캔하듯 셋은 서로 한번 흘낏, 훑는다. 성능이 안 좋은 기계라 차라리 잘됐다 싶은지 셋은 알 듯 말듯 고개를 끄덕이며 서로를 번갈아 포옹한다. 자리에 앉는다. 간단하게 안부를 주고받는다. 그리고 그만이다.

"둘 다 아침 전이지?"

살아내느라 정신이 없어 지금껏 만나지는 못 했지만 넓은 듯 좁은 게 교민사회였다. 한 다리 건너고 두 다리 건너 서로의 소식을 대충 알고 있었다. 그렇기에 딱히 할 말이 없어 멀뚱멀뚱 쳐다보며 싱거운 웃음을 날리는데 희돈이 먼저 말을 꺼낸다. 그의 말이 마치 분진을 줄이기 위해 작업하기 전날 메마른 석탄 위에다 듬뿍 뿌려주던 물처럼 느껴진다. 그들 앞에 곧 빵과 잼과 햄, 커피가 놓인다. 다시 조용하다.

"생각나나? 우리가 처음 비행기를 타고 독일로 날아올 때, 그때 부모 · 형제와 헤어져 침통한 얼굴로 앉아 있던 우리에게 승무원이 이 빵, 브뢰첸을 나눠주지 않았나."

몸에 좋지 않은 분진이 몸 밖으로 조금이나마 흘러나오게끔 콧속에다 담뱃가루를 넣어 점막을 자극했듯 이번에도 희돈이 먼저 말을 꺼낸다. 신심이 대꾸한다.

"무슨 이런 딱딱한 빵을 주나, 요즘 말로 우리를 개무시하는 건가, 싶었지. 흐흐. 그때 난 이 둥그렇고 딱딱한 빵을 어떻게 먹어야 하는지 알 수 없어 옆에 앉은 외국인을 유심히 쳐다보았어. 그가 하는 대로 빵을 나이프로 잘라 이것저것 발라먹었지. 배가 고파 먹었지만 정말 맛이 없더군. 먹고 나서 보니 그 외국인과 달리 내 주변에 빵부스러기가 수북이 쌓여있었어."

"역시 대학 나온 사람이라 뭔가 달랐구먼. 나는 그때 빵은 포기하고 작은 포장에 싸인 걸 손가락으로 집었어. 그냥 먹는 건가 보다, 생각하고 껍질을 벗겨 입에 홀라당 털어 넣었지. 아, 그때 생각하면 지금도 속이 느글거리네. 그거, 빠다였거든. 흐흐. 시골에 살던 사람이라 뭘 알았어야지. 그때 설사 안 한 게 천만다행이야."

희돈이 다시 말한다.

"선무당이 사람 잡는다고, 빵은 메인 디쉬가 나오기 전의 음식이라는 말을 어디선가 들은 것 같아 난 빵을 먹지 않고 기다렸어. 그런데 아무리 기다려도 다른 걸 주지 않더군. 한참 후에, 굶어 죽기 바로 직전에야 따듯한 음식이 나왔어."

조용히 있던 기혼이 몇 번 말이 오고 간 다음에야 숭늉회사에서 만든 커피를 마시는 표정으로 끼어든다. 신심이 대꾸한다.

"나중에 들어보니 우리보다 더한 사람도 있더라. 그 사람, 돈을 내야 하는 줄 알고 음식이 나올 때마다 노, 노, 해서 쫄쫄 굶었대. 지금의 두 배도 넘는 그 오랜 비행시간 내내 말이야."

"그래서 우리가 독일에 도착하자마자 제일 먼저 배운 말이 이히 하베 훙어, 배고파였지 않나. 덕분에 지금껏 굶어 죽지 않았고 말이지. 아, 참으로 오래된 이야기야. 그래, 그런 시절이었지. 비행기가 이륙할 때나 착륙할 때 우렁차게 박수를 쳐대던 시절…… 말이 안 통하고, 독일에 대한 정보가 없고, 음식이 맞지 않아 매일매일 맨땅에 헤딩을 해대던 시절……."

희돈이 감회에 젖은 표정으로 말한다. 그러자 듣고 있던 신심이 실실 웃으며 묻는다. 자네, 요즘도 피아노 좀 치나?

"피아노? 아, 그 피아노…… 흐흐. 이제 늙어서 그런가, 손가락 힘이 예전 같지가 않아. 마땅히 쳐댈 건반도 없고 말이지. 그래, 한때 내가 문화생활 좀 했지."

희돈은 일명 '피아노파'였다. 광산 일에 조금 이력이 붙자 그는 주말마다 여러 도시의 간호사 기숙사를 찾아다녔다. 한국 사람의 성이 쓰인 곳의 벨을 손가락으로 피아노 치듯 눌러대었다. 그러다 선화를 만났다. 코리언 엔젤! 젊고 예쁘고, 얌전하고 성실한 고국의 아가씨에게 그는 첫눈에 반했다. 차비에 개의치 않고 열심히 찾아다닌 끝에 결혼에 골인했다. 한국 간호사들은 상냥하고 성실해 독일 병원에서 인기가 많았고, 그렇기에 광부와 달리 재계약에 아무런 문제가 없었다. 덕분에 희돈도 자동으로 체류연장이 되었다.

"그러는 자네는, 성당에 계속 나가나?"

"그럼. 이제 시간이 많아 예전보다 더 열심히 다니지."

'성당파'이자 '학구파'이던 신심이 대답한다. 둘의 말이 계속 이어진다.

혹시 그놈 소식, 들은 거 없나?

누구?

에그, 이제 이름도 잊어버렸네. '그림책파'이던 놈 말이야. 화투 놀음 하다가 빚을 지고 쥐도 새도 모르게 사라진 놈.

아, 그놈. 밀항하다 들켜서 형무소 들어갔다는 말도 있고, 선원이 돼 배를 타다가 풍랑으로 죽었다는 말도 있는데, 모두 제대로 된 소식은 아니야. 그놈 때문에 자네가 한동안 고생이 많았지.

그러게. 5명이 연대책임을 지고 은행에서 돈을 빌렸는데 그 중 한 명이 사라져버렸으니…… 그놈이 빌린 2,000마르크를 네 명이 나누어 갚느라 똥줄이 빠졌었지. 그때 서울의 괜찮은 집 한 채가 70만 원 정도였는데, 그때 환율로 그 돈, 20만 원 정도였어. 아주 큰돈이었지.

별의별 놈이 다 있었지. 카메라를 훔치다 들킨 놈, 오토바이를 사서 제멋대로 타고 다니다가 교통사고를 당해 일찌감치 저세상으로 간 놈, 광산기계에 손가락 발가락이 다 잘린 놈…….

맞아. 배곯지 않으려고 온 놈에서부터 자네처럼 공부의 기회를 잡으려고 온 놈, 개발이니 위대한 각하니 하는 소리가 듣기 싫어서 온 놈…….

그러고 보면 참 감사해. 머리카락이 좀 빠지고 이가 좀 시원찮지만 이렇게 멀쩡히 살아 있으니까 말이야.

감사하지. 맨손으로 독일에 와서 자식 낳아 길렀지, 지금 냉장고에 세탁기에 없는 거 없이 갖춰놓고 살지…… 나름 성공한 삶이야.

걔는 어떻게 사나, 재는 어떻게 됐나…… 희돈과 신심의 말이 끊이지 않는다. 여자 셋이 모이면 접시가 깨진다더니 남자 둘이 모여도 만만치 않다. 주변의 독일 사람들이 흘끔거린다. 독일 아가씨와 결혼하는 바람에 '국제파'라고 불리던 기혼만 조용하다. 예전에도 그랬다. 하지만 그들은 꼭 셋이 만났다. 둘의 옆에 조용히 앉아 있던 기혼이 가끔 한마디씩 던져줘야 수다 떠는 맛이 났기 때문이었다. 희돈과 신심의 말이 꼬리에 꼬리를 문다.

우리 한국인은 배운 사람이 많았어. 양치기하다 온 터키사람들과 달랐지.

맞아. 하지만 독일에서는 영리한 사람이 아니라 탄을 잘 캐는 사람을 원했어. 우리, 광산 경험이 없는데다 체력이 달려 부상을 많이 당했잖은가.

맞아. 우리가 이 공항에 도착했을 때 마중 나온 광산 측 사람들이 입을 딱 벌렸지. 비즈니스맨처럼 모두 양복에 구두를 신고 왔으니까.

우리야 뭐 나라에서 일러주는 대로 했지. 그때 우리에게 나라에서 민간사절단이라는 타이틀을 붙여주지 않았나. 깔끔한 차림새와 올바른 행동으로 독일 사람에게 좋은 이미지를 심어주어야 했어.

많이 배워서 그런가, 머리를 좀 굴리기도 했지. 아프지도 않은데 의사에게 찾아가 병가를 자주 끊었으니까. 독일 동료 광부들이 좀 힘들어했지. 한 조인 5명이 일할 분량을 자주 4명이 나눠서 해야 했으니까.

그 영리한 머리로 서류를 조작해 가족수당을 타내고, 또 부인이 멀쩡히 살아 있는데 죽었다고 사망신고를 해 돈을 타내기도 했지. 호수에서 물놀이하다가 죽은 한국 여자의 사망신고가 비슷한 시기에 10건이 넘게 들어와 의심을 사는 바람에 들통이 났잖아?

"그건 소수에 불과했어. 수천 명의 한국 광부 중에 수십 명 정도의 광부만 그렇게 한 거라고! 우리, 정말 땀 흘려 열심히 일했어."

짜장면 집에서 만든 스시를 먹고 있는 듯 마음에 들지 않는다는 표정을 지은 기혼이 희돈과 신심의 기대를 저버리지 않으려는 듯 한마디를 던진다.

그럼, 그렇고말고, 희돈이 반색을 하자 기혼이 말을 잇는다.

생각나나? 우리가 처음 이 공항에 도착했을 때, 광산 측에서 우리를 환영해주려고 소시지를 듬뿍 넣은 죽을 끓여준 거? 그때도 우리는 아까 신심의 표현대로 우리를 개무시하는 것 같아 그걸 먹지 않았지. 죽이란 그 당시 가난한 사람들이 먹는 거였으니까.

여기서는 별식으로 먹는 건데, 그걸 몰랐어, 신심이 거든다.

그렇게 기름진 음식을 먹어야 에너지가 생기고, 그래야 힘든 노동을 잘 견뎌낼 텐데 우린 집에서 허구한 날 김치랑 밥을 해먹었지. 뭐, 삼겹살을 삶아 먹다가 그 기름 때문에 수챗구멍이 막혀 쇼한 적도 있지만 말이야. 우리, 한국에서 부엌에 얼씬도 않던 사람들이었잖은가?

그래도 독일 사람들, 참 양반이었어. 안 그런 사람도 있었지만 대부분은 우리를 많이 도와주고 배려해주었지. 시청이나 은행, 동사무소 등에서 어쩔 줄 몰라 쩔쩔맬 때 인내심 있게 끝까지 잘 도와주었어.

맞아. 무뚝뚝하고 차갑게 느껴지지만 나름 속정이 깊어서 한번 마음을 주면 끝까지 변치 않았지. 덕분에 우리, 인간 대접을 받으며 잘 살았어. 인권이라는 말이 어떤 것인지 알게 되었지. 그래, 생각해보니 좋은 기억이 나쁜 기억보다 많구먼.

우리도 잘했지 뭐. 태권도를 가르쳐주고, 아침에 일찍 일어나 기숙사의 앞길과 골목을 깨끗이 청소해주고, 잡채랑 야채튀김도 해주고…….

맞는 말이야. 그때 한국도 한국이지만 독일도 한국특수 덕분에 좋은 시절을 누렸지. 전화기를 팔고, 한국에 수많은 공장을 짓고, 그 부속품을 팔고 말이지.

이제 둘이 아니라 셋이 이야기꽃을 피운다. 오대양 때문에 육 대륙이 떨어져 있는 듯 보여도 오대양 아래 육 대륙이 연결되어 있듯 서로 만나지는 못 했지만 마음속으로 언제나 함께한 친구이기에 가능하다. 걱정했는데 만나길 참 잘했어, 눈을 바라보며 이야기를 나누는 동안에는 서로 같은 마음이지, 생각하며 희돈은 말하는 사이사이 기혼의 표정을 살핀다. 이 만남이 마치 비빔밥 같다는 생각을 한다. 좋아하지 않는 나물이 들어있어도 매운 고추장에 슥슥 비벼서 먹다 보면 싫은 맛이 그리 두드러지지 않는 비빔밥.

*

"아침 일찍 나오느라 준비해온 게 없는데, 자네, 뭐 필요한 거 없나?"

신심이 벽에 걸린 시계를 쳐다보자 희돈이 따라서 쳐다보며 묻는다. 슬슬 섭섭한 마음이 드는 게, 헤어질 시간이 다가오는 모양이다.

"없어, 그러니까 신경 쓰지 마."

하긴, 예전과 달리 한국에 더 맛있고 더 좋은 게 많다더라. 근데 이건 가져가. 내가 산책하면서 복분자를 따서 그 즙으로 만든 잼이야. 차가 다니지 않고 개똥도 없는 오솔길에서 딴 거라 완전 유기농이지, 희돈이 비닐봉지를 부스럭대며 말한다.

"나도 줄 게 있어. 울라가 챙겨준 건데, 얼마 되지는 않지만 가져가게."

신심이 가방에서 소시지를 꺼내며 말한다. 짐을 부친 상태지만 신심은 둘의 성의가 고맙다. 군소리 없이 작은 가방에 넣는다.

"언제든 좋으니까 한국에 오면 꼭 연락해, 알았지? 꼭 우리 집에서 자야 해!"

신심이 출국 문으로 들어서며 말한다. 뒤돌아보며 손을 흔든다.

딱 맞지는 않지만 '거의 맞게', 그럭저럭 살아가고 있는 둘의 모습을 보고 가는 신심의 마음이 편안하다. 희돈과 기혼도 손을 흔든다.

"기혼아, 내가 쏠 테니 커피 한 잔 더 하자."

오래 둬도 물렁해지지 않는 단감처럼 단단하기만 하던 기혼의 마음이 조금 부드러워진 게 느껴지자 희돈은 욕심이 생긴다.

"아니야. 할 일이 있어서 말이야. 우리, 또 연락하자고."

신심이 사라지고 잠시 어색한 상황이 되자 기혼이 희돈에게 서둘러 이별을 고한다. 그려, 내가 또 전화할게, 대꾸하는 희돈에게 손을 내민다. 악수한 다음 얼른 등을 돌린다.

희돈은 섭섭하다. 몸도 몸이지만 마음을 맞이하거나 떠나보내는 공항…… 35도를 웃도는 지하에서 무겁기도 하고 거추장스럽기도 하지만 갈증을 해소하기 위해 항상 옆에 차고 다니던 물통과도 같은 정…… 마음 같아서는 기혼에게 커피가 아니라 집에 가서 점심을 함께 먹자고 하고 싶었다.

헤일 수 없이 수많은 밤을…… 내 가슴 도려내는 아픔에 겨워…… 얼마나 울었던가…… 동백아가씨…… 희돈은 공항의 화장실에 들어가 오줌을 누며 흥얼거린다. 부를 때마다 질리기는커녕 마음이 촉촉해진다. 예전에 어떤 동료 광부가 저금한 걸 몽땅 털어 평생의 소원이던 전축을 산 다음 그 노래를 광부기숙사에 틀어놓았는데, 한순간에 기숙사가 울음바다로 변해버렸다.

약의 효과인지 예전보다 배뇨가 쉽다. 기혼아, 요즘 너, 오줌은 잘 나오냐? 함께 오줌을 누며 물어보았으면 좋았을 것을, 싶은 생각에 희돈은 여전히 섭섭하다. 예전 같으면 그렇게 젊잖게 물어보기만 했을까. 옆에 서서 오줌을 누는 기혼의 '성지'를 힐끔거리며 욕에 가까운 농담을 던졌을 것이다. 야, 이, 호랭이가 물어갈 놈아, 그래 요즘, 각시랑 오입은 자주 허냐? 잉? 문딩이 자슥, 그런 쪼시락하고 내꼴시러운 씬더구로 쳐다보지만 말고 내 물음에 대답이나 한번 씨언하게 해봐라, 잉?

그러다 희돈은 곧 생각을 바꾼다. 섭섭한 마음을 접는다. 마당도 쓸고 돈도 주우면 좋지만 그건 욕심이지, 중얼거린다. 그래, 만나서 얼굴을 보고, 담소를 나누며 빵을 먹고, 다음을 기약하고…… 진도가 참 많이 나갔어. 그래, 다음에 또 만나자. 다음에 만나 밥을 함께 먹으면서 선이 이야기도 하고, 상현이가 선이에게 주었던 파란 강아지 이야기도 하자, 중얼거리기도 한다.

희돈은 세면기에 다가가 손을 씻는다. 자정능력이 없는 화장실 바닥을 키가 크고 살집이 좋은 독일 아줌마가 열심히 닦고 있다. 세계경제 못지않게 독일경제도 좋지 않아 예전과 달리 독일인도 요즘 이런 밑바닥 일을 많이 한다. 하긴, 등치로만 보자면 독일 사람들이 이런 일을 하는 게 더 효과적이지, 생각하며 그는 그녀에게 인사를 건넨다. 아주머니, 수고가 참 많으시우! 탄을 캐고 몹시 지친 바람에 얼굴을 굳힌 채 집으로 돌아왔을 때 아내가 여보, 고생이 많았지요? 하며 아는 척을 해주면 얼마나 고마웠던가!

네, 감사합니다, 좋은 하루 되세요, 참 친절하기도 하시네, 아줌마가 억척스러운 표정을 풀고 씨익 웃으며 대답한다. 아유, 되게 피곤하네, 그러니까 우리, 침대에 누워서 함께 좀 쉴까? 그가 실실 웃으며 아내에게 다가가 가슴으로 손을 뻗으며 유들유들하게 대꾸하였듯이.

희돈은 화장실에서 나온다. 그리움에 지쳐서 울다 지쳐서…… 꽃잎은 빨갛게 멍이…… 들었소…… 노래를 흥얼거리며 터덜터덜, 주차장으로 간다.

작가의 말

독일에서 30여 년을 살며 우울하거나 힘들 때 언제나 이 노래를 들었다. 싱어송라이터 '라인하르트 마이'의 〈나의 일기 중에서〉가 그것이다. 그는 이주노동자의 일기가 가사로 쓰인 이 노래를 아주 간단한 반주에 맞추어 듣는 이의 어깨를 토닥토닥 두드려주듯 달콤한 목소리로 부른다.

1월 6일, 월요일. 밖을 내다보았다. 모든 게 눈 속에 파묻혀 있었다. 하지만 날씨는 청명했다. 이런 청명한 날이 계속되지는 않겠지. 이른 아침부터 우리는 카드놀이를 했다. 그런 우리를 십장은 쳐다보고만 있었다. 커피를 내리려고 잠깐 자리에서 일어났다. 그새를 못 참고 안토니오가 또 눈속임을 했다. (후렴) 아, 집에 가고 싶어! 이런 생활, 지긋지긋해! 나, 이곳에서 너무 오래 살았어! 역에 나가 다음 기차에 올라탈 거야! 이런 생활, 깨끗이 청산해버릴 거야!

5월 15일, 목요일. 늙수그레한 프랑크에게 편지가 왔다. 편지 속에 사진이 한 장 들어 있었다. 그가 얼른 제 옷장에다 사진을 붙였다. 너네는 지금 뭘 하고 있지? 왜 날 이렇게 궁금하게 만드는 거지? 아주 오래 전에 동생에게서 편지가 한번 오고 그만이다. 네게서도 몇 주 전에 편지가 한번 오고 그만이다. (후렴)

8월 20일, 수요일. 늙수그레한 프랑크가 쓰러졌다. 외모만큼이나 늙은 그의 심장이 더위를 더 이상 이겨내지 못했다. 우리는 그를 의사에게 데려다주었다. 그사이에 스페인 놈 안토니오는 모른 척 전축을 닦고 있었다. 십장은 아직까지 내게 주급의 반 정도를 지불해주지 않았다. 세르지오는 내게 맥주 세 병을 갚아야 한다. (후렴)

11월 6일, 목요일. 석양이 질 때까지 일했다. 해가 나날이 짧아진다. 뭐, 해가 길게 느껴진 적이 지금껏 별로 없었지만. 어제는 기차역에 나갔다. 가진 돈으로 기차표를 끊을 수 있을지 없을지 한참 동안 가늠해 보았다. 그렇게 오래도록 플랫폼에 서 있었다. 하지만 이번에도 용기를 내지 못했다. (후렴)

어학시험을 앞두고 기숙사에 처박혀 입안에서 헛도는 독일어 단어와 문법을 외울 때, 말이 통하지 않아 동네의 가게에서조차 불이익을 당할 때, 화장을 제대로 하기는커녕 아는 언니의 분홍색 한복을 빌려 입고 가족도 없이 시청에서 결혼식을 올릴 때, 갑작스레 시작한 남편의 사업 때문에 하루하루가 불안할 때, 한국에 있는 가족이 그리워 창밖을 내다보며 하염없이 눈물지을 때, 운동을 하다가 다친 아이가 병원의 응급실 침대 위에서 얼음처럼 차가운 몸을 바들바들 떨며 고통스러워할 때, 그 아이가 커서 독립을 한답시고 먼 곳으로 떠나 생활비를 버는 모습을 바라보고 있을 때…… 우울하거나 힘들 때 나는 언제나 이 노래를 들었다. 들을 때마다 울컥했다. 유학생이건 이주근로자이건 외국에서 '거의 맞게' 살아가고 있는 모든 사람, 디아스포라의 불안한 삶과 갈등과 불화 저 너머의 연대를 글로 풀어내고 싶었다. 다른 게 아니었다. 노래의 후렴처럼 이렇게 외치고 싶었다. "아, 집에 가고 싶어! 이런 생활, 지긋지긋해! 나, 이곳에서 너무 오래 살았어! 역에 나가 다음 기차에 올라탈 거야! 이런 생활, 깨끗이 청산해버릴 거야!" 그렇게 외침으로써 다시 타향의 일상으로 돌아가 '거의 맞게' 살아갈 힘을 얻고 싶었다.

돌아보니 새삼 많은 분들에게 감사하다. 다음 세대의 삶이 편안하도록 재산목록 제1호인 젊음을 불태워 치열하면서도 당당하게 살아오신 이민 1세대 여러분에게 가장 먼저 고개를 숙인다.

Mein Coming-Out ist uber 10 Jahre her, aber meiner Meinung nach noch immer wichtig fuer Maenner in der gleichen Situation, um ihnen zu zeigen, dass sie nicht die Einzigen sind, die dieses Problem haben. Deswegen lasse ich die Geschichte auch weiterhin im Internet. (커밍아웃을 한 지 10년이 넘었지만 아직까지 나와 비슷한 상황에 처한 남자들에게 중요할 것 같아 지금껏 인터넷에 나의 이야기를 한다. 이런 문제와 관련, 그들이 혼자가 아니라는 걸 알려주기 위해서이다.)라는 메일을 보내주고 자신의 글의 일부를 인용하게끔 허락해준 미하엘 카이저(Michael Kaiser)에게 감사의 마음을 전한다.

부프-클라인(Buv-Kleinzeche) 광산 박물관의 막스 레펠트(Max Rehfeld), 빅토어-익커른(Victor-Ickern) 광산의 인사 및 행정 담당자 하인츠 타펠(Heinz Tafel)에게 또한 깊은 감사의 인사를 드린다. 기억의 저편에 묻히지 않도록 그 당시의 생생한 에피소드를 많이 들려주셨다.

광산근무자인 아버지와 간호사인 어머니 사이에서 태어나 지금 독일 방송국에서 일하는 교민 2세 양홍미 씨, 많이 도와줘서 고마워요. 그대의 방송 〈Vermisst〉에서 받은 감동을 내가 글로 잘 풀어냈는지 모르겠어요.

소설이 무엇인지, 어떻게 써야하는지 알게 해준 이순원 선생님에게 큰 감사의 인사를 드린다. 뒤에서 지켜보고 계시기에 항상 긴장한 상태로 글을 쓰게 된다. 나의 친정인 실천문학과 대표님에게 꾸벅, 인사 올린다. 언제나 응원을 아끼지 않는 식구들, 그리고 친구들, 당케!!!

이 작품은 나 혼자 쓰지 않았다. 내가 감사의 인사를 드린 모든 분들과 함께 썼다. 그렇기에 외롭지 않았다. 고개 숙여 거듭 감사의 인사를 드린다.

2013년 7월에 보쿰에서 변소영

거의 맞음

2013년 7월 25일 1판 1쇄 찍음
2013년 7월 31일 1판 1쇄 펴냄

지은이 변소영
펴낸이 손택수
편집 이호석, 하선정, 임아진
디자인 김현주
관리 · 영업 김태일, 이용희

펴낸곳 (주)실천문학
등록 10-1221호(1995.10.26.)
주소 우121-839, 서울시 마포구 서교동 478-3 동궁빌딩 501호
전화 322-2161~5
팩스 322-2166
홈페이지 www.silcheon.com

ISBN 978-89-392-0700-4 03810

표지 이미지의 원작은 〈Toilettenbürstenbenutzungsanweisung(변기솔 사용법)〉이며,
현재 원저작자와 연락이 닿지 않아 작품을 변용하여 사용하였음을 밝힙니다.